Titre original : *Andi's War*
Édition originale publiée par Faber and Faber Ltd, Londres
© Billi Rosen, 1988, pour le texte
© Éditions Gallimard, 1992, pour les illustrations
© Éditions Gallimard, 1992, pour la traduction

La guerre dans les collines

de Billi Rosen

illustrations de Sylvaine Pérols

traduit de l'anglais par Anne Krief

Gallimard Jeunesse

LA GUERRE CIVILE GRECQUE COM-
MENÇA AU MOIS DE MAI 1946 ET
PRIT FIN TROIS ANS PLUS TARD, EN
OCTOBRE 1949. LE PAYS SE DIVISAIT
en monarchistes – les partisans du roi –, qui représentaient le
parti au pouvoir, et communistes. Lors de la Seconde Guerre
mondiale, ils avaient mis de côté leurs différends pour com-
battre ensemble les Allemands et les Italiens. Cependant, une
fois l'ennemi chassé, les Grecs se battirent entre eux.

Les choses se présentèrent bien pour les partisans communistes, mais l'issue de la guerre aurait été tout autre pour eux
comme pour leur pays s'ils avaient accepté de se ranger sous la
même bannière idéologique. Au lieu de cela, les différents par-
tis se divisèrent en groupuscules indisciplinés qui tous enten-
daient faire les choses à leur manière. C'est ainsi qu'ils finirent
par se battre entre eux, refusant de conjuguer leurs forces
contre l'ennemi. L'armée gouvernementale ne tarda par à avoir
vent des divisions parmi les « rouges » et mit aussitôt la situation à profit en appelant à son aide la Grande-Bretagne et les
Etats-Unis qui lui envoyèrent des armes et des « conseillers ».
Aucun de ces deux pays ne tenait à voir s'instaurer en Grèce un
régime communiste ou même vaguement socialiste.

La « peste rouge » finit donc par être vaincue, au bout de neuf années sanglantes. Les fusils se turent enfin et les collines, où tant d'atrocités avaient été commises par les deux camps au nom de la liberté et de la vérité, retrouvèrent peu à peu leur paix d'antan. Les gens purent de nouveau vaquer sans peur à leurs occupations quotidiennes.

Je dois toutefois ajouter que, malgré cette paix, des milliers de partisans durent se réfugier dans les pays communistes situés au nord de la Grèce, comme la Yougoslavie et la Bulgarie, soit par crainte des représailles, soit parce qu'ils ne tenaient aucunement à vivre en Grèce, pour des raisons politiques.

Aujourd'hui, en 1987, la Grèce est en paix. Un gouvernement démocratique, socialiste, est au pouvoir depuis 1980, et la liberté d'expression est rétablie. Grâce au tourisme, la Grèce a acquis une prospérité économique, inimaginable il y a seulement vingt ans. Les enfants font trois repas quotidiens et portent des chaussures tous les jours de la semaine.

Quant à moi, je regarde les collines et fais des vœux pour que cela dure.

Billi Rosen,
Corfou, septembre 1987

1

– ALORS, CONCLUT GRAND-MÈRE,
LE SULTAN CONDAMNA À MORT
AILAN LA DANSEUSE PARCE
QU'ELLE REFUSAIT DE LUI RÉVÉ-
LER LA CACHETTE DE MAHMET
LE REBELLE ET DE SA BANDE.

« La veille de l'exécution, le sultan rendit une dernière visite à Ailan, dans sa cellule.

« – J'ai le cœur gros, dit-il. En te condamnant à mort, je me fais l'impression d'être un assassin.

« – Mon seigneur, répondit Ailan compatissante, personne ne peut aller contre la destinée. Elle est inscrite en chacun de nous.

« Ce n'était pas du tout la réponse qu'attendait le sultan, et il se mit très en colère.

« – Petite obstinée ! s'écria-t-il. Je t'offre une chance d'avoir la vie sauve et tu la rejettes. Eh bien, meurs donc puisque tu tiens si peu à la vie.

« Ailan contemplait le petit carré de ciel étoilé délimité par l'étroite fenêtre de sa cellule.

« – Tout ce qui meurt renaît un jour, mon seigneur, dit-elle posément, et si d'aventure, par une nuit étoilée, en regardant le ciel vous découvrez une étoile plus brillante que les autres qui vous semble virevolter, sauter, monter, descendre, vous saurez que c'est moi.

« Telles furent ses dernières paroles. »

– Alors, elle n'a pas eu la vie sauve ?

– Non, pas dans cette histoire.

– Et elle n'a pas eu de robe bleue aussi étoilée que le ciel ?

– Eh non...

– Et personne n'est descendu des rayons du soleil ?

– Non plus...

– Je n'aime pas cette histoire, déclarai-je, la gorge serrée par les larmes retenues.

Comme grand-mère bordait mon drap et se penchait pour m'embrasser, je détournai la tête.

– Andi, murmura-t-elle avec douceur, toutes les histoires ne finissent pas toujours bien. En plus, c'est toi qui as voulu que je t'en raconte une nouvelle, une différente des autres.

Ne sachant que répondre, je fis preuve de la plus grande mauvaise foi.

– Je ne pensais pas à ce genre d'histoire, rétorquai-je avec humeur. Et de toute façon tu n'avais pas besoin de la faire mourir. Tu l'as fait exprès.

– Ma colombe, répondit patiemment grand-mère en approchant son visage tout près du mien, Ailan ne voulait pas mourir, mais elle ne voulait pas non plus vivre à n'importe quel prix. Dans les situations difficiles, nous avons tous la possibilité de choisir la vie que nous voulons mener. Et quelle aurait été, selon toi, la vie d'Ailan, si le sultan lui avait accordé sa grâce et permis de rester au palais alors qu'elle aurait été à tout jamais une traîtresse ?

– Mais n'a-t-elle pas eu peur de mourir ?

– Certainement, oui. Personne n'a vraiment envie de mourir, surtout quand on est jeune et gaie comme Ailan.

– N'aurait-elle pas pu répondre n'importe quoi, inventer un endroit, par exemple ?

– Impossible. Le sultan savait qu'Ailan avait vu Mahmet, le chef des rebelles. Toute la question était alors de savoir si la peur de la mort serait assez forte pour qu'elle le trahisse.

– Mais ça n'a pas été le cas.

– Non, parce que Ailan a surmonté cette peur.

– C'était très courageux de sa part, n'est-ce pas, grand-mère ?

– Oui, ma colombe. Tu sais, quelqu'un a dit que la seule chose dont il fallait avoir peur, c'était de la peur elle-même. Ainsi, quand ta mère t'a amenée ici après ta naissance et m'a demandé de m'occuper de toi, tu n'avais qu'une semaine et tu étais aussi chétive qu'un chaton. Naturellement, je t'ai gardée, mais j'ignorais à quoi je m'engageais. J'ai eu bien du mal à te maintenir en vie. Pendant quatre nuits de suite je n'ai pas osé fermer l'œil de peur que tu ne t'arrêtes de respirer. Un jour, cela a bien failli t'arriver. Tu avais pris froid et, dans ton petit lit, tu étais toute pâle, immobile, dévorée par la fièvre tandis que tes petits poumons haletaient et que ton cœur minuscule frémissait sous ta peau transparente comme un oiseau affolé.

« J'ai bien failli devenir folle ce jour-là, et c'est la peur qui m'a fait perdre la tête. J'étais tout bonnement incapable d'aligner correctement deux idées. Tout ce que j'arrivais à me dire c'est qu'il fallait que je trouve un prêtre avant qu'il soit trop tard. Alors j'ai traversé le village en courant, les cheveux défaits, oubliant de prendre mon fichu. De retour à la maison avec le prêtre, il t'a regardée et s'est mis aussitôt au travail. Tu comprends, il était lui aussi convaincu que ta vie ne tenait qu'à un fil.

« Et c'est au moment où il t'oignait avec les saintes huiles que le miracle s'est produit. Qui sait, l'huile était peut-être trop froide, ou les mains du prêtre

trop rudes, toujours est-il que tu t'es mise à brailler comme
jamais et cela a conjuré le sort. J'ai repris mes esprits et j'ai
envoyé promener la mort ! C'est alors que j'ai compris combien
j'avais eu peur et que la peur m'avait réduite en un petit tas de
gelée tremblotante. J'étais bien décidée désormais à lui tenir
tête, à l'affronter coûte que coûte. C'est ce que j'ai fait. Dès lors
tout est allé beaucoup mieux. Tu es restée longtemps malade,
mais je n'ai plus jamais perdu mon sang-froid. Je n'ai pas laissé
deux fois la peur me prendre à la gorge. Est-ce que tu comprends ce que j'essaie de t'expliquer, ma colombe ?

– Oui, je crois, grand-mère.

Elle sortit de la poche de son tablier un mouchoir et me le
tendit.

– Qu'est-ce qui est arrivé après ?

– Eh bien, nous avons survécu
toutes les deux, reprit-elle en éclatant de
rire, et voilà. Aujourd'hui c'est à ton tour d'apprendre à attraper
la mort par la queue et à l'écraser du talon chaque fois qu'elle
pointera sa tête hideuse.

– C'est ce qu'a fait Ailan ?

– Exactement, mon trésor. C'est ça.

J'avais sommeil et j'étais ravie d'être au lit. Je laissai partir
grand-mère. Elle reviendrait un peu
plus tard, après avoir aidé tante
Hercule à coucher notre cousin
Aki – il avait tellement grandi ces der-

niers temps qu'il fallait être
deux pour le porter maintenant. Prenant bien garde
de ne pas me réveiller, elle
se glisserait dans les draps à mes
côtés, et moi qui ne serais pas encore
endormie, j'entourerais de mes bras son large dos et alors seulement je fermerais les yeux, enfin à l'abri de la nuit et des
bruits de la guerre qui nous parvenaient des collines couvertes
de thym qui surplombaient le village.

2

LE LENDEMAIN, J'ALLAI
ATTENDRE LE BATEAU QUI
RAMENAIT MON FRÈRE PAUL
D'ATHÈNES OÙ IL ÉTAIT ALLÉ
APPORTER DES FRUITS ET DES LÉGUMES
À NOTRE TANTE DINA ET À SA FAMILLE.
Tante Dina avait épousé un capitaine de l'armée, dont elle
avait eu quatre garçons. Grand-mère insistait pour qu'elle
vienne s'installer au village, au moins jusqu'à la fin de la
guerre, mais tante Dina répondait toujours que la place d'une

épouse était aux côtés de son mari. De sorte qu'elle restait à Athènes où l'on ne trouvait presque plus rien à manger. Naturellement, en tant que femme d'officier, tante Dina et sa famille étaient mieux loties que d'autres, mais lorsque les fruits et les légumes vinrent à manquer, la vie fut un peu plus difficile. Voilà pourquoi Paul allait les voir de temps en temps. Il me manquait énormément lorsqu'il s'absentait. Grand-mère disait que j'étais plutôt insupportable dans ces moments-là. Je n'y pouvais rien ; il faisait partie de moi, comme une jambe ou un bras.

Toutefois, les petits voyages de Paul à Athènes avaient aussi du bon : il ne revenait jamais les mains vides de chez tante Dina. Oncle Tasso s'arrangeait toujours pour qu'il nous rapporte quelque chose : des chewing-gums, des bonbons ou du chocolat, ou même les trois à la fois ! Je ne sais pas où il arrivait à se les procurer. Un jour, j'ai demandé à tante Hercule comment oncle Tasso s'y prenait pour trouver toutes ces friandises alors qu'il n'y avait plus un seul bonbon au village. Elle se contenta de me répondre d'un air pincé que l'armée veillait sur les siens. Et, d'un ton que je ne lui connaissais pas, elle dit qu'il lui arrivait de se demander si nous ne nous étions pas trompés de camp. Grand-mère lui avait jeté un long regard lourd de reproches.

– Ma fille, lança-t-elle, dis toutes

les bêtises que tu voudras, mais n'oublie jamais dans quel camp tu es !

Tante Hercule n'eut rien à répondre, mais cela m'avait laissée songeuse. La grande guerre* était finie. Les Allemands et les Italiens étaient rentrés chez eux, ainsi que nos amis les Anglais qui nous avaient aidés à nous en débarrasser. Voilà que nous nous lancions dans une autre guerre, une guerre qui avait commencé dans les montagnes mais qui, de jour en jour, se rapprochait un peu plus de notre village. Nos parents, à Paul et à moi, avaient tous deux fait la guerre, celle contre les Allemands et les Italiens, mais à peine de retour à la maison ce furent de nouveaux adieux. Nous avions l'impression, Paul et moi, d'avoir passé l'essentiel de notre vie à dire au revoir à nos parents.

Je ne sais pas pourquoi mais, de fil en aiguille, penser à nos parents me rappela à l'oncle Tasso. Il nous envoyait des bonbons, nous gavait de toutes sortes de bonnes choses, nous offrait des gâteaux très chers au Café Rosita lorsque nous allions les voir, lui et nos cousins, et pourtant nous avions l'ordre formel de grand-mère et de tante Hercule de ne pas lui manifester trop de sympathie. Nous devions, surtout, ne pas répondre à ses questions, aussi anodines fussent-elles, concernant nos parents.

* La Seconde Guerre mondiale.

C'est pourquoi nous restions muets comme des carpes dès qu'il se trouvait dans les parages. Un jour, je l'ai entendu dire à tante Dina que les enfants de Cassie avaient l'air d'idiots de village. Je me mis à le détester. J'avais découvert ce qui se cachait derrière ses sourires et cela ne me plaisait guère.

J'étais perdue dans mes pensées lorsque le bateau-pilote arriva au milieu de la baie où il attendait le vapeur. Le petit bateau était surchargé de cageots de raisins, de pêches, de cerises, tous destinés à Athènes. Il semblait curieux qu'il y ait une telle pénurie de fruits en ville alors qu'il en partait de telles quantités. Que devenaient-ils une fois déchargés au port du Pirée ?

Le vapeur avait du retard, et j'étais sur le point de demander pourquoi, lorsqu'il apparut brusquement, tournant la pointe du phare, aussi gracieux qu'un cygne. Les passagers, tassés vers l'avant, agitaient les bras à notre intention, plissant les yeux pour voir quel bateau venait à leur rencontre et quel marin le manœuvrait. Peu importe le nombre de fois que l'on a effectué ce voyage : sortant de l'étroit goulet qui ouvre sur notre baie en fer à cheval et découvrant le village qui semble bâti sur l'eau, les collines couvertes de thym et d'oliviers, de pins et de lauriers-roses, les voyageurs disent n'avoir jamais rien vu d'aussi ravissant. Les maisons sont roses,

blanches ou bleues, les murs recouverts de jasmin, les cours ombragées par des treilles et les jardins croulent sous la végétation : orangers, grenadiers, figuiers, qui descendent jusqu'à la mer où les eucalyptus plongent dans l'eau limpide leurs fines feuilles effilées, tels de légers voiles de verdure.

Les voyageurs dévorent des yeux notre village bleu et blanc, montrent du doigt le dôme turquoise de l'église, manquent de se cogner le front en enfouissant leur visage dans les fleurs d'orangers et de citronniers, et restent bouche bée devant la majestueuse montagne, « L'Endormie », qui, la tête rejetée en arrière, semble rire à une plaisanterie connue d'elle seule, les yeux clos, les joues tapissées de thym, le nez droit, les lèvres serrées. Grand-mère prétend qu'il s'agit là d'une des merveilles de la nature et de la gardienne de notre village. Le matin, elle se drape en général d'une brume épaisse. Certains la préfèrent ainsi, lorsqu'elle se débat pour déchirer ce voile d'un blanc laiteux. Mais moi je la préfère au coucher du soleil, lorsqu'elle repose, sans une ombre, et se découpe sur le ciel orangé.

J'ai toujours connu « L'Endormie », sans jamais me lasser de la regarder, essayant de deviner ses rêves. Je n'en ai jamais parlé à personne. Pas même à mon frère, ni à Marko. Ses rêves ne franchiront pas mes lèvres.

Soudain, cela me fit penser à Ailan, à la façon dont elle avait emporté son secret dans la tombe, et cela me parut la seule chose à faire. Je compris alors que s'il y avait plusieurs manières de vivre, il y avait également plus d'une façon de mourir.

Une fois le vapeur immobilisé et la cargaison de fruits transbordée sur le pont du *Soleil rouge*, Paul, au premier rang des passagers, descendit l'échelle déroulée le long de la coque du vapeur et monta dans la barque de Matti. Nous nous embrassâmes rapidement et nous assîmes l'un à côté de l'autre. Paul avait dix ans et n'aimait pas trop les embrassades. Mais il était de retour et c'était tout ce qui m'importait. Il n'y avait que trois autres passagers à débarquer ce matin-là : la vieille Olga, soutenue par sa fille Maro, et le « Vieux Cyclope », le chef de la police du village, bien-aimé de certains mais craint et détesté par la plupart des gens. Il était nouveau pour nous, ce policier, cet étranger arrivé six mois plus tôt, et pourtant les villageois savaient déjà s'ils se rangeraient dans son camp ou non. Moi, j'avais l'irrésistible sentiment que la vie ne serait pas rose pour qui ne choisirait pas le même camp que lui.

Une fois à la maison, grand-mère et tante Hercule voulurent tout savoir sur le séjour de Paul à Athènes et si tante Dina s'était enfin décidée à venir s'installer chez nous.

– C'est inutile d'insister, grand-mère, conclut Paul avec impatience. Tante Dina ne viendra jamais chez nous. Elle m'a dit de te dire que tant qu'oncle Tasso serait en garnison à Athènes, elle resterait auprès de lui.

– C'est aux enfants que je pense, soupira grand-mère. La ville n'est pas un endroit pour eux au train où vont les choses. L'uniforme de leur père ne les protégera pas éternellement.

– Maman !

L'exclamation avait échappé à tante Hercule qui mit son

doigt sur ses lèvres, interrompant ainsi brutalement une conversation intéressante. Un silence de mort tomba.

– Les petites cruches ont de grandes oreilles, ajouta notre tante pour justifier son intervention.

Paul et moi levâmes les yeux au plafond.

Ah ! lcs grandes personnes !... Sans insister, nous tirâmes de ce silence les conclusions que nous pouvions.

PEU APRÈS LE RETOUR DE PAUL, MARKO, LE PLUS JEUNE FILS DE TANTE HERCULE ET NOTRE COMPAGNON DE TOUS LES JOURS, PAUL ET MOI-MÊME fûmes chargés d'aller porter un message à Stammo le berger ainsi que diverses provisions. En échange de quoi il nous donna un morceau de *feta*, ce fromage de brebis blanc et friable.

Depuis la mort de sa femme, le vieux Stammo vivait seul. On avait pourtant cru alors qu'il viendrait s'installer au village, chez l'un de ses nombreux enfants, mais il surprit tout le monde en déclarant qu'il était trop vieux pour changer de maison et qu'il resterait à la bergerie, avec ses moutons et son chien. Le chemin était long du village à la bergerie et il n'y montait presque personne, à part nous qui y étions obligés. Nous lui apportions toujours la même chose : des olives, de l'huile, une petite miche de pain que grand-mère avait faite et une bouteille de vin, le tout enveloppé dans une vieille nappe aux couleurs passées.

Habituellement, lorsque grand-mère préparait les provisions de Stammo, nous jouions dans la cour ; or, cette fois-ci, nous nous trouvions dans la pièce avec elle, car notre pauvre cousin Aki n'avait pas encore été transporté sur sa couche, dehors, et nous voulions le distraire un peu avant de partir.

Grand-mère nous tournait le dos, mais aux mouvements de ses bras, nous pouvions deviner qu'elle était en train de nouer les quatre coins de la nappe. En me penchant un peu, j'eus le temps de voir que la bouteille n'était pas bouchée. J'allais en avertir grand-mère lorsqu'elle ouvrit la main et laissa tomber quelque chose dans l'huile. Elle avait fait vite, mais pas assez. Je donnai un coup de coude aux garçons et leur fis comprendre par gestes ce que j'avais vu.

Grand-mère dut certainement sentir qu'il se passait quelque

chose dans son dos car elle se retourna brusquement et nous regarda.

– Oh ! s'exclama-t-elle d'un ton qui indiquait qu'elle était plongée dans ses pensées. Vous êtes encore là, vous ?

Le soleil lui éclairait le visage et je distinguais parfaitement les petites taches dorées de ses yeux et ses pupilles, noires comme des olives, rétrécies sous l'effet de la lumière. Elle ouvrit la bouche pour ajouter quelque chose mais se ravisa et nous tendit le balluchon de provisions. Je le saisis en m'efforçant de ne pas regarder la bouteille d'huile qui dépassait. Elle nous embrassa l'un après l'autre, sans oublier Aki, qui pourtant restait à la maison, nous bénit et nous poussa dehors.

Nous avions atteint le portail lorsqu'elle nous cria :

– Dites à Stammo que lorsqu'on parle du chant on en voit l'oiseau.

Nous la regardâmes, médusés. Elle ne nous avait jamais rien dit de tel.

– Répétez !

C'était un ordre. Nous obéîmes.

– Parfait, conclut-elle sèchement, maintenant filez et faites attention aux serpents et aux chiens sauvages.

– Et aux loups ! ajoutâmes-nous pour la faire enrager.

– Exactement, répondit-elle le plus sérieusement du monde, on ne saurait être trop prudent. Il y a toutes sortes de bêtes qui rôdent dans les collines à cette époque de l'année.

Naturellement, il y avait des serpents, des renards et des dizaines de chiens sauvages, et peut-être même des loups, mais je ne crois pas qu'elle pensait précisément à ce genre de bêtes.

Nous prîmes le sentier menant à la bergerie, qui longeait d'abord l'arrière de la taverne du vieux Ghika et de sa mégère d'épouse, Loppi, qui, selon nous, était une vraie sorcière. Le chemin était raide et serpentait à travers les arbustes, les buissons de genêts et de thym, les pins et les lauriers.

A mi-chemin, nous quittâmes le sentier pour suivre le lit d'une rivière à sec, tout en jouant à cache-cache derrière les gigantesques platanes qui en jalonnaient les berges. Quelques heures plus tard, nous arrivâmes à la bergerie. Le vieux Stammo nous accueillit chaleureusement et nous fit entrer dans sa cahute. C'était un bâtiment bas, en pierre, couvert d'un toit de tôle ondulée, muni d'une porte en bois branlante, de fenêtres sans vitres ni rideaux, d'un foyer au milieu de la pièce, au-dessus duquel était suspendue une marmite noire, d'un vieux lit en fer sur lequel étaient empilées des dizaines de grossières couvertures de laine aux couleurs vives. Le métier à tisser de son épouse était toujours à la même place, ainsi que la couverture à laquelle elle travaillait juste avant sa mort. Il y avait aussi des cruches et des casseroles accrochées au mur, deux verres posés en équilibre sur une étagère bancale et, à l'autre bout de la pièce, des tonneaux qui contenaient le fromage. L'endroit sentait le lait caillé.

Je remis le balluchon à Stammo et lui répétai le message, puis nous sortîmes nous asseoir contre le mur de sa masure chauffé par le soleil. Il nous offrit du fromage avec un oignon et un quignon de pain. Nous brûlions de lui demander ce qu'il y avait au fond de la bouteille d'huile, mais personne n'osa. Nous nous disions que si grand-mère avait tenu à ce que nous le sachions, elle nous l'aurait dit elle-même. Une fois rassasiés, nous donnâmes au vieux berger des nouvelles de sa famille, lui racontant quelques potins du village, puis nous contemplâmes, tous quatre en silence, la splendide baie qui s'étendait au pied de la colline et les petites îles qui ornaient ses eaux pourpres comme autant de perles fines.

Quoi d'étonnant, pensai-je, que le vieux Stammo ait choisi

de vivre en ce lieu, auprès de ses moutons et de son chien Zak qu'il adorait et qui le lui rendait bien. Zak, qui avait aboyé à notre arrivée, dormait à présent aux pieds de son maître, tout en restant l'oreille aux aguets. Si d'aventure quelqu'un voulait s'en prendre au vieux berger, il aurait d'abord affaire à Zak.

Nous aurions dû rentrer directement au village après avoir quitté le berger, mais nous avions trop mangé et cela nous avait donné envie de dormir. Aussi, à mi-chemin, nous décidâmes de faire un petit somme avant de nous remettre en route. Auparavant il fallait nous assurer qu'il n'y avait pas de serpents dans les environs. Armés de bâtons, nous entreprîmes d'inspecter un petit carré de terrain sous les vieux platanes, mais, au lieu de nous fatiguer, cela nous donna un regain d'énergie et nous continuâmes à battre les buissons rien que pour le plaisir, courant droit devant nous, la tête la pre-

mière, comme une armée partant à l'assaut. Nous atterrîmes dans une haie épineuse qui poussait contre un gros rocher.

On aurait dit que nous nous affalions dans une pelote d'épingles ! J'en aurais pleuré si les garçons n'avaient pas été là. Eux-mêmes se crurent obligés de retenir leurs larmes, de sorte que pour laisser libre cours à notre douleur, nous hurlâmes toutes sortes d'abominations qui auraient fait bondir grand-mère. Nous sautions et criions comme des sauvages tout en léchant nos égratignures lorsque, soudain, Marko tomba à genoux et se glissa dans une trouée de la haie.

– Alors, on a encore trouvé quelque chose à manger ? plaisanta Paul tandis que le petit corps dodu de Marko disparaissait dans le trou.

Marko était un gourmand invétéré.

– Tais-toi, imbécile ! lança Marko, de l'autre côté de la haie. Je crois que j'ai découvert quelque chose.

– Qu'est-ce que c'est ?

– Venez voir, répondit Marko, au loin.

– Il ne faut surtout pas contrarier les fous, me murmura Paul avant de se glisser à son tour dans le trou.

Je le suivis à quatre pattes. Lorsque nous débouchâmes de l'autre côté, à grand-peine, on aurait dit que nous nous étions battus avec des tigres et des lions. Mais nos efforts furent récompensés : face à nous, dans le rocher, s'ouvrait une sorte de passage dans lequel nous nous faufi-lâmes, inconscients du danger. La grotte était obscure et glaciale. Nous nous redressâmes avec précaution et réussîmes à nous tenir debout.

Grâce au pâle rayon de lumière qui filtrait par l'ouverture, nous inspectâmes les lieux. Le sol était en terre battue, les parois rugueuses, inégales, le plafond aussi haut que le dôme

d'une église. Une fois habitués à l'obscurité, nous découvrîmes un *brikki** et une petite cuillère rouillée. A l'autre extrémité de la grotte, nous butâmes contre une longue caisse de bois qui ressemblait à un cercueil. A tâtons, je sentis qu'elle était fermée par un verrou. Une caisse verrouillée, qui ressemblait à un cercueil... On ne met sous clé que des objets très précieux, ou ce que l'on tient à cacher. Il n'était pas très difficile de deviner que d'autres gens étaient venus dans cette grotte ; d'autres gens qui avaient des secrets et des choses à cacher.

– Paul, Marko... murmurai-je, soudain effrayée par le son de ma propre voix.

– Qu'est-ce qu'il y a ? répondit Paul dans un souffle.

– Je crois qu'on ferait mieux de partir...

– Je voudrais d'abord voir ce qu'il y a dans cette caisse.

– Impossible, coupa Marko. Pas sans une pince ou quelque chose dans le genre.

– Et avec la bêche ?

– Non, ça ne va pas.

– Alors, défonçons-la avec une grosse pierre.

– Dis pas de bêtises. Ce n'est pas un verrou de poulailler ! Tu as vu comme il est gros ?

Marko avait raison. C'était un verrou massif, comme on en

---

* Petit récipient en métal, utilisé pour préparer le café grec ou turc.

voit aux portes des boutiques et des entrepôts. Une pierre n'en viendrait jamais à bout.

– On va être obligés de revenir, un point c'est tout, déclara Marko, comme si cette expédition était chose aisée.

Effectivement, si nous voulions vraiment savoir ce que contenait la caisse, il ne nous restait plus qu'à revenir avec les outils appropriés. Nous ressortîmes de la grotte à plat ventre et nous nous glissâmes dans la haie en nous écorchant à nouveau bras et jambes. Avant de quitter les lieux, nous rebouchâmes tant bien que mal la trouée du buisson avec des branchages et du bois mort. Puis nous rentrâmes au village en dévalant la colline comme si le diable était à nos trousses.

4

DEUX SEMAINES S'ÉCOULÈRENT AVANT QUE NOUS PUISSIONS RETOURNER À LA GROTTE.

Nous avions attendu que l'on nous envoie de nouveau à la bergerie pour avoir une raison valable de passer la journée dans les collines, mais les jours passaient et grand-mère ne semblait guère pressée de nous faire transmettre d'autres messages au vieux berger. L'occasion se présenta pourtant le matin où l'instituteur nous annonça qu'il devait se rendre à Athènes pour une réunion de professeurs et que nous n'aurions pas école pendant deux jours.

Sachant que grand-mère et tante Hercule ne manqueraient pas de nous trouver toutes sortes d'occupations si elles apprenaient que nous n'avions pas classe, nous oubliâmes de les prévenir. Mais nous fûmes tout de même gentils : nous allâmes remplir toutes les cruches à la fontaine avant de partir. Puis nous filâmes, prétextant que nous allions être en retard à l'école, évitant soigneusement la taverne du vieux Ghika qui aurait pu nous trahir s'il nous avait aperçus. Nous prîmes donc le sentier qui traversait la petite plantation de citronniers de Notta l'herboriste, en dehors du village.

Deux heures plus tard, nous étions à la grotte. Après nous être assurés que personne ne rôdait dans les parages – un chevrier aurait pu passer par là – nous plongeâmes, armés de courage, dans la haie épineuse.

A l'entrée de la grotte, je sortis la lampe torche que j'avais emportée. Rassurés par le faible halo de lumière, nous pénétrâmes dans la grotte : elle était méconnaissable. Si la dernière fois il n'y avait qu'une seule caisse, il y en avait au moins une cinquantaine aujourd'hui, empilées les unes sur les autres, aussi bien rangées que des cercueils chez le croque-mort.

– Mon Dieu, murmura Paul.

– Notre caisse a disparu, mais elle a fait des petits, gémit Marko.

Nous avons éclaté d'un rire nerveux. Notre instinct nous commandait de ressortir immédiatement, de dissimuler le trou de la haie et d'oublier tout ce que nous avions vu. Mais comment en aurions-nous été capables ? Nous étions allés trop loin et nous ne pouvions repartir sans avoir découvert ce que contenaient les caisses. A l'aide de la barre de fer que nous avions apportée, nous entreprîmes à nous trois de percer l'une des caisses. Il nous fallut un certain temps pour faire un trou assez grand pour regarder à l'intérieur de la caisse, mais nous finîmes par y arriver.

J'ignore ce que nous espérions découvrir, toujours est-il que les caisses étaient remplies de fusils. La guerre descendait des collines comme un irrésistible fléau.

– Mon Dieu ! m'exclamai-je.

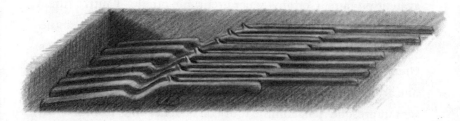

– Doux Jésus ! murmura Paul.

– Vierge Marie ! souffla Marko.

Ce n'était peut-être pas la manière la plus indiquée de s'adresser à la Sainte Famille, mais il fallait absolument que l'on parle à quelqu'un.

5

ENSUITE, LES CHOSES ALLÈRENT DE MAL EN PIS. EN TOUT CAS, C'EST L'IMPRESSION QUE J'EUS. DES GENS QUI NE S'ÉTAIENT JAMAIS CHERCHÉ querelle se mirent à se battre dans les tavernes et dans les ruelles obscures. Des voisins cessèrent de s'adresser la parole, des familles amies devinrent ennemies. Des maris, des pères, des fils rentraient blessés à la maison, pansant des blessures que seuls des couteaux avaient pu faire. Certains y perdirent une oreille, d'autres furent défigurés par d'affreuses cicatrices et quelques-uns furent si grièvement blessés qu'il fallut les transporter à l'hôpital, à Athènes. Grand-mère dit que les hommes se battaient au couteau car c'était une arme rapide, silencieuse et facile à cacher. Bien utilisé, on ne sentait presque rien, comme tout bon boucher vous le dira.

Grand-mère savait de quoi elle parlait : c'était elle qui tuait les bêtes à la maison, non qu'elle aimât particulièrement cette tâche, mais personne d'autre n'était capable de le faire. Nous étions trop jeunes, nous autres enfants ; quant à tante Hercule, elle n'était d'aucun secours dans ce genre d'opérations. A la seule vue du sang, elle se mettait à gémir comme si sa propre tête était sur le billot et s'évanouissait. C'était donc à grand-mère que revenait la mission de « chatouiller » le cou des poulets, des dindons et des lapins destinés à passer à la casserole.

Un jour, on nous donna un cochon, mais il nous fut impossible de le garder : nous n'avions pas assez de restes à lui donner à manger. Grand-mère décida alors que, puisque nous ne pouvions le nourrir, ce serait lui qui nous nourrirait. Elle n'avait jamais eu l'occasion de tuer un animal aussi gros. Si elle savait parfaitement s'y prendre avec les lapins, les poulets et les dindons, elle ne connaissait rien aux cochons. Bref, ce fut un véritable massacre. Chaque fois qu'elle lui plongeait la pointe du couteau dans la gorge, l'animal faisait un bond en l'air, fou de terreur, perdant son sang par toutes ses blessures. Je n'avais jamais vu pleurer grand-mère jusqu'à ce jour. Les larmes, mêlées au sang du cochon, lui barbouillaient le visage. Le cochon finit par mourir, mais ce fut certainement d'épuisement. Nous n'eûmes aucun regret à manger cet infortuné animal. Ce porc rôti représenta pour nous nos repas de Noël, de Pâques et d'anniversaires célébrés en une seule fois. Seule grand-mère refusa d'y goûter.

Nous n'eûmes plus jamais d'autre cochon. Une fois celui-ci englouti, nous retrouvâmes nos poulets, lapins et dindons et, à Pâques, un chevreau. Mais nous mangions surtout du poulet ; c'était plus facile à tuer.

A propos, il faut que je vous en parle, des poulets : certaines de nos volailles attrapèrent une maladie et moururent. Nous rachetâmes donc une nouvelle couvée à notre voisin Ritzo. Ses poules avaient la réputation d'être particulièrement robustes, c'est pourquoi nous les préférions à celles que vendaient les gitans.

Mais les jours passaient et nous n'avions toujours pas d'œufs. Les poules de Ritzo refusaient obstinément de pondre. Grand-mère pensa qu'il fallait peut-être leur laisser le temps de s'acclimater. Au bout de deux semaines, comme nous n'avions jamais plus de trois ou quatre œufs par jour, grand-mère attrapa une poule, la coinça sous son bras et nous ordonna de la suivre toutes affaires cessantes. Nous obéîmes sur-le-champ. Il nous avait suffi de regarder grand-mère pour savoir qu'il allait se passer quelque chose.

Nous nous approchâmes de la maison de Ritzo comme des assaillants en expédition, grand-mère en tête, suivie de moi-même (j'étais la plus âgée) puis de Paul et enfin de Marko. Grand-mère aurait demandé à tante Hercule de nous accompagner avec Aki si ce dernier n'avait pas été si lourd à porter. Nous retînmes tous notre souffle lorsque grand-mère frappa du poing contre la porte de la maison de Ritzo qui, quelques instants plus tard, ouvrit, ébahi.

– Je croyais bien que c'étaient les Allemands qui revenaient ! plaisanta-t-il avant de découvrir la poule nichée sous le bras de grand-mère. Qu'est-ce qu'il y a ? Elle n'est pas malade, au moins ?

– Ritzo, commença grand-mère, nous sommes voisins, n'est-ce pas ?

– Qui a prétendu le contraire ? rétorqua Ritzo, indigné.

– Et je t'ai toujours tenu pour quelqu'un de bien et d'honnête, hein ?

– Et je me suis toujours comporté ainsi avec toi, Lella.

Grand-mère saisit alors la malheureuse poule par les pattes et la balança sous le nez d'un Ritzo stupéfait.

– Eh bien, je dois reconnaître que tout ce que tu dis était exact jusqu'à ce jour, mais si tu ne fais pas quelque chose pour ça, dit grand-mère en enfonçant son index dans les plumes de la poule, je serai, hélas, bien obligée de réviser mon jugement.

Dire que Ritzo resta sans voix était encore au-dessous de la vérité. Lorsque enfin il recouvra l'usage de la parole, il était aussi ulcéré que la vieille dame.

– Quoi ? Que me dis-tu là, femme ? Vas-tu t'expliquer ? Me traiter de malhonnête, moi Ritzo Spastis ?

– M'expliquer ? M'expliquer ? railla grand-mère. C'est plutôt à toi de t'expliquer ! Tu m'as vendu ces poules comme les meilleures pondeuses de tout le Péloponnèse !

Elle regarda Ritzo d'un air triomphant.

– Alors maintenant avoue qu'elles sont stériles, parce qu'elles le sont, presque sans exception !

Ritzo blêmit, puis vira au rouge cramoisi.

– Comment oses-tu m'accuser d'une chose pareille ? rugit-il.

Mais grand-mère n'était pas de nature à se laisser impressionner.

– Alors pourquoi n'ont-elles pondu que quatre ou cinq œufs depuis que tu me les as vendues ? Explique-moi un peu ce phénomène, si tu en es capable !

– Pourquoi ne poses-tu pas la question au coq ? glapit Ritzo.

– C'est bon, fit grand-mère, considérant que les choses étaient allées assez loin. Réglons ce problème à l'amiable.

Ritzo nous fit donc entrer dans la cour et, tandis que sa femme nous offrait de la crème à la vanille et de grands verres d'eau glacée, grand-mère et Ritzo parlèrent volailles.

– Mais, Lella, dit Ritzo, comment se fait-il qu'il n'y ait point d'œufs alors que j'entends caqueter les poules tous les matins ?

Je t'assure que je les entends. Les miennes, les tiennes, celles des voisins... J'ai vendu des poules à presque tout le village et les seules qui ne pondent pas, ce sont les tiennes.

– Le vacarme qu'elles font n'a rien à voir avec la quantité d'œufs qu'elles pondent, répliqua grand-mère qui n'était jamais à bout d'arguments.

Ritzo se gratta la tête.

– Ces poules sont de bonnes pondeuses, insista-t-il.

Ils se turent quelques instants. Nous attendions tous en silence la suite des événements.

Soudain, Ritzo bondit de sa chaise.

– J'ai trouvé ! s'exclama-t-il.

Marko faillit avaler de travers sa crème à la vanille et renverser son verre d'eau.

– J'écoute, dit grand-mère en regardant Ritzo avec attention.

– Lella, ma chère voisine, reprit Ritzo tout sourire, tes poules ne sont pas stériles. Elles pondent, mais une personne, ou un animal, les vole sous ton nez, déclara-t-il en croisant les bras d'un air satisfait. C'est la seule explication logique.

– Tu veux parler d'un renard, ou d'une bestiole dans le genre ?

– Oui, une bestiole dans le genre.

Grand-mère réfléchit.

– Tu as peut-être raison, reconnut-elle.

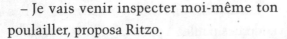

– Je vais venir inspecter moi-même ton poulailler, proposa Ritzo.

– D'accord, acquiesça grand-mère. C'est un marché honnête. Eh bien, au revoir, voisin. Allez, venez, les enfants.

Nous retournâmes à la maison dans le même ordre que précédemment, à cette différence près que Marko resta à la traîne, loin derrière nous, ce qui ne lui ressemblait guère.

Ritzo vint effectivement inspecter le poulailler et ne découvrit rien d'anormal. Dès lors, les poules se mirent à pondre et un jour nous en eûmes suffisamment pour notre propre consommation et pour en vendre, mais cela ne dura guère. Deux mois plus tard, la situation redevint ce qu'elle était : une demi-douzaine d'œufs certains jours et d'autres pas du tout. Grand-mère ne retourna pas voir Ritzo. Elle accrocha un chapelet bleu à la porte du poulailler, convaincue que quelqu'un avait jeté un sort à nos poules.

Au village, les choses s'aggravèrent. Un jour, le Vieux Cyclope, le chef de la police, vint à l'école pour écouter l'instituteur exposer aux élèves un décret tout récent : quiconque aiderait ou cacherait un partisan serait exécuté sur-le-champ. Manifestement, l'instituteur était mécontent d'être obligé de nous l'annoncer en présence du chef de la police. Ainsi, lui aussi choisissait de s'opposer au Cyclope : une position très inconfortable.

Cela nous amena à nous demander si nous ne devions pas parler à la maison des caisses de fusils que nous avions découvertes dans la grotte. Nous ne pûmes nous y résoudre. Nous avions le sentiment qu'il était plus sage de nous taire. Un jour, Stavro, un villageois dont la femme venait de mourir, vint nous acheter des fleurs pour une couronne ; nous avions un très joli jardin, grâce aux soins et au talent de tante Hercule. Stavro nous apprit que quelqu'un avait dit à un de ses amis, qui le lui avait répété à son tour, qu'un ordre était arrivé d'Athènes, donnant au chef de la police les pleins pouvoirs pour arrêter qui lui semblerait suspect.

Tante Hercule ne voulait pas y croire.

– Alors maintenant lorsqu'on éternue ici, cela fait du bruit jusqu'à Athènes, rétorqua-t-elle.

– Mais celui qui me l'a dit connaît quelqu'un au commissariat.

– Des bruits, des bruits… insista notre tante. On aurait pourtant pu croire que les gens ont autre chose à faire que propager des bruits. Nous sommes en démocratie, non ?

– Mais il y a une guerre, on ne peut pas dire le contraire...

Tante Hercule cueillit un autre œillet blanc.

– Pas une guerre, non, pas une guerre, répliqua-t-elle, des escarmouches tout au plus.

Et pourquoi pas des escarmouches, en effet. Peut-être étaient-ce encore les règlements de comptes qui suivaient la vraie guerre, comme ces punitions infligées aux gens qui avaient collaboré avec les Allemands. Au village, on avait rasé les femmes qui avaient fréquenté des soldats allemands ou italiens.

Mais si cette guerre était une nouvelle guerre, qui était l'ennemi ? Aucun soldat étranger n'avait franchi nos frontières depuis le départ des derniers envahisseurs. On n'entendait plus au village ces ordres lancés dans des langues incompréhensibles. Les coups de feu avaient cessé et nous avions à nouveau le droit de sortir à la nuit tombée. Mais voilà qu'une loi permettait de tirer à vue sur les gens, comme sur des chiens enragés et, dans les collines, on cachait des caisses de fusils dans des grottes. Qui allait en faire usage contre qui ? Les camps... toujours choisir son camp... Les uns avaient raison, les autres avaient tort, et les fusils de la grotte allaient servir à régler la querelle.

Je pensai au village et passai en revue les gens que j'avais toujours connus : les voisins, les parents, les amis, notre instituteur, le curé, le médecin, le boucher, le boulanger, le barbier, Anna l'épicière. Il y en avait que j'aimais bien, certains moins, d'autres pas du tout, mais nous arrivions néanmoins à cohabiter. Il y avait bien parfois des disputes entre voisins, mais il en est toujours ainsi dans les petits villages où tout le monde se connaît.

J'essayai d'y voir clair et de trouver quelqu'un que je considérais réellement comme un ennemi. Et, soudain, je songeai à une personne ou, pour être précise, à trois personnes que je connaissais très bien et qui n'étaient pas originaires du village : le chef de la police, sa femme aux lèvres peintes et aux cheveux teints, et leur fils Aristo. C'était un garçon de mon âge, grand et assez beau mais dans le genre prétentieux : une bouche molle, des cheveux noirs et ondulés, un nez droit et fort, et des yeux verts. Plus exactement : un unique œil vert, car, comme son père, il n'avait qu'un seul œil véritable ; l'autre étant de verre. Paul, Marko et moi nous demandions si les yeux de verre ça s'attrapait, comme les verrues.

La plupart des enfants du village évitaient Aristo. C'était un bagarreur (assez lâche) qui avait toujours besoin de quelqu'un derrière qui se protéger lorsque les choses tournaient vraiment mal ; c'est pourquoi il s'était constitué une espèce de bande de voyous de son acabit : les Guerriers.

Tel père, tel fils. C'est à ce moment-là que les choses ont commencé à changer. Peu après leur arrivée au village.

6

NOUS N'AVIONS PAS OUBLIÉ LA GROTTE. ELLE HANTAIT TOUJOURS NOS ESPRITS, MAIS L'AUTOMNE NOUS AVAIT FONDU DESSUS ; L'ÉCOLE ET le mauvais temps avaient mis fin à nos escapades secrètes dans les collines.

Pour couronner le tout, c'était ma dernière année d'école primaire. J'avais promis d'essayer d'entrer au lycée et je passais de longs moments le nez plongé dans mes livres. L'examen d'entrée devait avoir lieu l'été suivant et j'étais loin d'être prête. La plupart de mes camarades de classe, surtout les filles, avaient décidé qu'elles en avaient terminé avec l'école, mais grand-mère estimait que douze ans c'était un peu tôt pour arrêter ses études. Elle regrettait que le gouvernement n'ait pas fixé à quatorze ans, au moins, l'âge de la scolarité obligatoire.

Un jour que nous en parlions, tante Hercule dit d'un ton badin :

– Je ne vois pas pourquoi Andi irait au lycée. D'ici quelques années, elle va se marier et tout cela n'aura servi à rien.

Grand-mère lui jeta un regard noir.

– L'éducation ne sert jamais «à rien », comme tu dis, lança-t-elle. Prends Cassie, par exemple...

– Oui, eh bien justement, prenons Cassie (Cassie, ou Cassandre, c'était ma mère). Tu l'as envoyée à l'université et elle t'a laissé ses gosses à élever pendant qu'elle courait les montagnes, jouant les grandes révolutionnaires.

– Tu aurais pu y aller toi aussi à l'université si tu ne t'étais pas mariée à quinze ans.

– Je ne me souviens pas que tu aies tenté de m'en empêcher, rétorqua amèrement tante Hercule.

Grand-mère était furieuse.

– Comment l'aurais-je pu quand tu t'es enfuie à Salonique avec ce... ce paysan ? Et le jour où il en a eu assez de toi, c'est moi qui ai dû venir ramasser les morceaux.

Les lèvres de tante Hercule se mirent à trembler. Je jetai un coup d'œil à Marko : il était aussi stupéfait que Paul et moi. J'imagine que j'aurais dû faire sortir les garçons de la pièce, mais je ne pus me résoudre à bouger.

– Ce n'est pas moi qui t'ai demandé de venir, répliqua fièrement la mère de Marko.

Grand-mère huma l'air comme une jument sur le point de ruer.

– Non, c'est juste. Mais le village où tu vivais s'en est chargé. « Venez la chercher, m'ont-ils écrit. Si vous aimez votre fille, venez la chercher et emmenez-la d'ici. » Je suis venue et je t'ai trouvée parmi les chèvres, avec ton pauvre gosse demeuré, dit-elle en pointant le menton vers Aki, et enceinte de Marko. Et tandis que tu habitais dans la bergerie, ton mari offrait l'hospitalité à sa nouvelle femme, sous ton propre toit.

Tante Hercule s'était mise à pleurer en silence. Je pris Paul et Marko par la main et les conduisis dehors, pensant qu'il valait mieux laisser grand-mère et tante Hercule discuter toutes seules de ces choses qui ne nous regardaient pas.

Dehors, Marko se mit à pleurer à son tour, mais je fis comme si de rien n'était et proposai de partir à la recherche de la bande. Le fait est qu'Aristo et ses Guerriers n'avaient cessé de nous harceler durant tout le trimestre et nous en avions plus qu'assez d'eux. Il se passait rarement un jour sans que l'un de nous se fasse agresser par les voyous de la bande. Aristo, personnellement, ne prenait pas part à ces rossées. Non, il se contentait de donner des ordres. Bref, il chargeait les autres du sale boulot.

Ces passages à tabac devinrent si fréquents que Paul et moi décidâmes de constituer notre propre bande. Tout le monde y était bienvenu. C'est ainsi que se joignirent à nous Mathi, le fils du barbier ; Tom, le fils du boulanger ; Iphigénie, que l'on appelait Gina, deux fois plus grande que nous mais dans la même classe que moi ; les jumeaux de Ritzo : George et Laki ; Louka, dont le père était marin ; Loulou, qui était amoureuse de mon frère ; Tina qui, comme nous, vivait avec sa grand-mère ; Léoni, le fils du charpentier ; et sa sœur Drina ; Dimitri, l'orphelin, qui aidait à creuser les fosses au cimetière ; Basil, le garçon de courses du boucher, et son frère Nico. Nous étions seize et eux quatorze, mais comme dans la bande d'Aristo certains étaient plus âgés que nous, nous étions à peu près à égalité.

Nous nous baptisâmes les Alouettes et fîmes savoir haut et fort que nous cherchions la bagarre. Nous la trouvions parfois. Comme le jour où nous mîmes au défi les Guerriers de venir nous retrouver au cimetière, à minuit. Ils n'en menaient pas large, mais il leur était impossible de refuser sans perdre la face.

La nuit était froide et de gros nuages filaient dans le ciel. Le cimetière baignait dans un halo argenté et l'instant d'après se retrouvait plongé dans une quasi-obscurité à mesure que la masse des nuages masquait la face blême de la lune. La nuit

était terrifiante à souhait. Dimitri, qui connaissait le cimetière comme sa poche, nous conduisit vers une tombe qu'il avait creusée la veille. C'est là que nous mîmes à exécution notre plan destiné à faire pisser les Guerriers dans leurs pantalons. Nous revêtîmes Dimitri d'un vieux drap blanc que Gina avait réussi à obtenir de sa mère, puis nous l'aidâmes à descendre dans la tombe béante et filâmes nous cacher dans les buissons qui bordaient le cimetière.

Nous n'eûmes pas longtemps à attendre. Au douzième coup de minuit au clocher du village, les Guerriers franchirent le portail du cimetière, tout yeux et tout oreilles. Il était manifeste qu'ils tremblaient de peur. Ce qui suivit fut à mourir de

rire. Juste au moment où la lune disparaissait derrière un nuage particulièrement gros, Dimitri surgit du fond de la tombe où il était tapi. Ce fut terrifiant. Tout y était : les croix et les anges de marbre qui se dessinaient sur le ciel, les tombes que l'on distinguait à peine... mais la vision la plus terrorisante était celle de Dimitri, le grand loup-garou en personne. Avec une impressionnante lenteur calculée, s'éclairant le visage à l'aide d'une lampe torche qu'il tenait sous son menton, il s'avança vers Aristo et sa bande.

Ce spectacle surnaturel dépassa en horreur tout ce que pouvaient imaginer les Guerriers. Pourtant, il eût suffi d'un seul acte de bravoure, que quelqu'un osât tirer sur le drap qui recouvrait Dimitri, pour faire retomber ce vent de panique, mais personne ne souhaitait s'attarder davantage et regarder de plus près ce loup-garou. Pleurnichant et sanglotant d'effroi, ils firent demi-tour et se ruèrent vers le portail du cimetière comme s'ils étaient poursuivis par une armée entière de fantômes. Ils coururent à toutes jambes et je crois qu'ils ne se sont arrêtés qu'une fois à l'abri, au fond de leurs lits, les couvertures rabattues sur leurs deux oreilles.

7

LORSQUE NOUS FÛMES CER-
TAINS QUE LES GUERRIERS NE
REVIENDRAIENT PAS, NOUS
QUITTÂMES NOS CACHETTES
ET FÉLICITÂMES DIMITRI
D'AVOIR AUSSI BIEN JOUÉ SON RÔLE.

– Tu n'avais pas peur au fond du trou ? lui demanda Loulou
en se rapprochant de Paul.

Elle était vraiment amoureuse de lui.

Dimitri éclata de rire.

– Je n'ai pas peur des morts, répondit-il. La seule chose qui
me scie les jambes, ce sont les chiens sauvages et le Vieux
Cyclope.

– Il faut faire très attention maintenant, prévint Nico, car je
vous parie qu'Aristo est en train de préparer quelque chose pour
se venger.

– Qu'il essaie un peu ! fit Gina que sa grande taille rendait
courageuse. Qui a peur de lui et de ses moins-que-rien ?

Gina grimpa sur une tombe et nous dispensa un peu de son
courage :

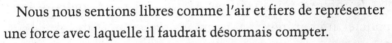

– Avons-nous peur des cyclopes, grands ou petits ? s'écria-t-elle.

– Non ! hurlâmes-nous.

– Avons-nous peur des chiens sauvages ?

– Non !

– Allons-nous nous laisser malmener ?

– Non !

– Nous sommes tous solidaires ?

– Oui !

Nous nous sentions libres comme l'air et fiers de représenter une force avec laquelle il faudrait désormais compter.

La vengeance d'Aristo ne se fit pas attendre. Après avoir à ce point perdu la face, il devait prouver qu'il était encore un chef de bande et, naturellement, il s'en prit aux plus jeunes, aux plus petits et aux plus affamés que lui. Cela ressemblait bien à Aristo : c'était tellement plus simple de s'attaquer aux faibles.

Donc, un jour, à l'école, il ordonna à ses sbires de prendre le pain des petites classes, le pain des enfants de six et sept ans. Ce qui ne manqua pas de surprendre sa bande de lâches. Ils étaient méchants, c'est vrai, mais comme nous ils étaient  pauvres et savaient ce que c'était que de ne pas avoir un morceau de pain. Nous avions tous fort peu à manger, et certains n'avaient rien du tout. Nous savions tous, par expérience, hormis Aristo, que ce morceau de pain était notre seule nourriture de la journée ; c'était ce qui nous permettait de tenir, notre unique repas entre le moment où nous quittions la maison le matin et notre retour le soir, lorsque nos parents revenaient des champs. Au pis, ce morceau de pain quotidien apporté à l'école était trempé dans l'eau pour le ramollir et saupoudré de sel ; au mieux, il était trempé dans l'huile d'olive et recouvert de sucre. Mais que savait Aristo de la faim ? Son pain était tartiné de beurre et de confiture, et chez lui sa mère lui préparait non seulement à déjeuner mais aussi à dîner. La police, me disais-je, ce devait être comme l'armée : elle veillait sur les siens.

Les enfants, terrorisés par Aristo parce que son père était policier, lui remirent leur pain sans protester. Mais cela ne suffit pas à Aristo. Peut-être estima-t-il qu'il n'avait pas assez fait la démonstration de sa puissance. Alors, prenant les morceaux de pain que les enfants lui tendaient, il les jeta par terre et, au fur et à mesure, les piétina rageusement.

– Je n'en donnerais même pas à mon chien, lança-t-il avec mépris, posant son unique œil valide sur les visages baignés de larmes de ses petites victimes qui l'avaient regardé faire en silence.

– Et moi, je ne te donnerais même pas le cul d'un chien à lécher ! hurlai-je.

Et, pour la première fois de ma vie, je compris ce que voulait dire « voir rouge ».

Je me précipitai sur Aristo ; la stupeur qui traversa son bon œil, jointe à l'absence d'expression de son œil de verre, faillit me faire éclater de rire.

Mais Aristo se reprit très vite. Me saisissant par les nattes, il me tira si fort la tête en arrière que je crus qu'il allait me briser le cou. Agrippé fermement à mes cheveux, il m'obligea peu à peu à m'allonger par terre et m'aurait envoyé son soulier dans les dents si je ne les avais plantées dans son mollet dodu. Poussant un hurlement de douleur, il lâcha aussitôt mes nattes et se tint la jambe. On distinguait parfaitement l'empreinte de mes dents, et un filet de sang lui coulait le long du mollet jusqu'à sa chaussette blanche.

– Tu me le paieras, sale rouge ! s'écriat-il en m'apprenant ainsi de quel autre nom on pouvait m'appeler.

De retour à la maison, je racontai à grandmère ce qui s'était passé et lui demandai pourquoi Aristo m'avait traitée de « sale rouge ».

– Tu devrais avoir honte, Antigone, dit tante Hercule. Pourquoi es-tu intervenue ? Pourquoi faut-il toujours que tu te battes ?

– Mais il leur avait volé leur pain ! protestai-je.

– Et qui es-tu, toi, pour prendre leur défense ? Est-ce que quelqu'un aurait fait la même chose pour toi ?

Je me tournai vers grand-mère.

– J'ai eu raison de me battre avec Aristo, non ? lui demandai-je.

– Oui, ma fille, reconnut-elle. Tu as bien fait. C'est un mauvais, celui-là.

Tante Hercule était très irritée.

– C'est ça, c'est ça, railla-t-elle. Vas-y, encourage-la. Elle va nous attirer des ennuis un de ces jours, tu vas voir.

Grand-mère lui fit signe de se taire, puis, passant un bras autour de ma taille, elle me fit asseoir sur ses genoux.

– Andi, dit-elle, ta tante a raison. Aristo et ses parents ne sont pas des gens comme nous. Un policier n'oublie jamais une offense. Alors je te demande de faire très attention désormais et de te rappeler que tu ne t'es pas fait un ennemi mais trois. En rossant Aristo tu l'as non seulement humilié lui, mais son père et sa mère également. Un jour ou l'autre ils trouveront le moyen de se venger de toi... et de nous.

Cela me rappela l'histoire de la « sale rouge ».

– Qu'est-ce que c'est une sale rouge, grand-mère ?

– C'est comme ça que certaines personnes appellent une communiste.

– Qu'est-ce que c'est communiste ?

– C'est le pétrin dans lequel nous ont fourrés ton père et ta mère, voilà ce que c'est ! s'exclama rageusement tante Hercule.

– Tais-toi, Hara, ordonna grand-mère, avant de s'adresser à moi, d'un ton soudain menaçant : je t'interdis de te battre à nouveau avec Aristo, tu m'entends ?

– Je me battrai avec lui s'il le faut, hurlai-je, et personne ne m'en empêchera.

C'est alors que grand-mère fit une chose qu'elle n'avait jamais faite : m'attrapant par le bras, elle me secoua comme un prunier.

– Tu ne te battras plus, Andi, tu m'entends ? Tu ne te battras plus ! Il y va de notre vie.

– Si, si, si ! criai-je.

Alors grand-mère fit une autre chose que je ne lui avais jamais vue faire : elle me frappa. Je la regardai, médusée. Puis je sortis en courant de la pièce et me réfugiai dans le vieil eucalyptus, au fond du jardin, pour pleurer tout mon soûl.

Lorsque cette nuit-là grand-mère se glissa dans le lit à mes côtés, je me tournai vers le mur et fis semblant de dormir. Elle n'essaya pas de m'amadouer, ni de se faire pardonner de m'avoir frappée. Elle se contenta de me caresser les cheveux et de m'embrasser en me souhaitant bonne nuit, comme tous les soirs, ce qui eut pour effet immédiat de me tirer toutes les larmes du corps et, pour la deuxième fois de la journée, je pleurai, pleurai, pleurai, tandis qu'elle continuait à me caresser, la tête en silence, m'apaisant par sa seule présence.

8

L'ÉCOLE S'ARRÊTA UNE SEMAINE AVANT NOËL. ENSUITE, IL Y EUT NOËL, PUIS LE NOUVEL AN. SI nous ne croyions plus au Père Noël, ni à sa hotte remplie de jouets, nous n'en dîmes rien aux grandes personnes pour ne pas leur faire de peine. En revanche, nous croyions toujours aux cadeaux de grand-mère et de tante Hercule qui ne nous oubliaient jamais. Nous étions pauvres et de nouveau en guerre, mais le Père Noël viendrait quand même cette année, comme il l'avait toujours fait.

– Moi, je voudrais un cochon entier rôti à la broche, annonça Marko, toujours obsédé par la nourriture.

– Et moi, un atlas, déclarai-je, et une paire de chaussures vernies avec des petits talons.

Ma mère en avait eu il y avait fort longtemps et je ne cessais d'y penser.

– Aucun intérêt, remarqua méchamment Paul ; moi je voudrais un tank. Un qui crache du feu quand on le remonte, avec une tourelle qui pivote et des chenilles.

Ce fut mon tour de me montrer méchante.

– Je n'ai jamais rien vu d'aussi idiot, répliquai-je.

– Aristo en a un comme ça, rétorqua Paul, triomphant.

– Et comment le sais-tu ? demandai-je avec colère.

– Taki me l'a dit.

Taki était un des sbires d'Aristo. J'étais furieuse que mon frère se soit abaissé à le regarder et lui ait même adressé la parole. Je décidai de lui dire ma façon de penser.

– Je t'interdis de lui adresser la parole dorénavant.

Plus âgée que Paul d'un an et demi, je me sentais le droit de lui dicter ce qu'il devait faire ou non, mais il ne l'entendait pas de cette oreille.

– Je parlerai à qui je voudrai, répliqua-t-il.

Je lui attrapai alors le bras et le lui tordis dans le dos.

– Tu feras ce que je te dis, le menaçai-je. Maintenant jure que tu ne lui parleras plus jamais.

– Lâche-moi, cria mon petit frère. Lâche-moi ou…

– Ou quoi ? demandai-je en tirant un peu plus fermement sur son bras.

– Aïe ! hurla-t-il. Tu me fais mal !

– J'espère bien ! Promets que tu ne t'approcheras plus des sales voyous d'Aristo.

Paul n'était pas mon frère par hasard.

– Non ! s'écria-t-il d'une voix blanche. Non, je ne promettrai rien du tout. Je te déteste… Je te déteste et je voudrais que maman soit là pour…

Je le relâchai aussitôt, à la fois honteuse et fâchée contre moi. Je m'étais conduite comme Aristo et sa bande.

– Excuse-moi, Paul, dis-je.

Paul cessa de pleurnicher et sécha ses larmes du revers de sa manche.

– Tu n'avais pas besoin de me tordre le bras, marmonna-t-il entre ses dents.

– C'est vrai, reconnus-je. Je suis désolée de t'avoir fait mal.

– Ça va, murmura-t-il sans me regarder.

Je passai la main dans ses boucles brunes et, au même moment, j'eus brusquement envie que notre mère revienne, nous prenne dans ses bras et nous dise qu'elle ne nous quitterait plus jamais.

9

AU DOUZIÈME COUP DE MINUIT, NOUS TRINQUÂMES À LA NOUVELLE ANNÉE, LEVANT NOS VERRES DE VIN doux que grand-mère avait sorti du placard, à la manière des prestidigitateurs qui font sortir des lapins d'un chapeau. (Je jure que la bouteille n'y était pas lorsque grand-mère m'a demandé de prendre les verres.) Nous nous souhaitâmes une bonne année, faisant des vœux pour que la guerre prenne fin et nous rende nos parents, ainsi qu'aux enfants du monde entier, des parents qui ne nous quitteraient plus jamais. Puis, comme tous les ans, nous souhaitâmes qu'Aki recouvre l'usage de ses jambes et puisse jouer comme les autres enfants.

Après quoi, grand-mère décréta qu'il était temps d'aller se coucher, et je lui demandai la permission de laisser Paul et Marko dormir avec nous. Elle accepta à condition que l'on ne passe pas la nuit à bavarder. Elle était même prête à nous raconter une histoire si nous étions sages. Et nous fûmes bien sages. Nous ressentions l'étrange besoin de passer ensemble cette nuit-là car nous étions soucieux, mélancoliques et non pas insouciants et joyeux. Nous nous déshabillâmes et nous couchâmes : les garçons sur un matelas par terre, tête-bêche, et moi auprès de grand-mère, comme d'habitude. Mais, avant qu'elle n'ait eu le temps de commencer son histoire, nous nous sommes mis à lui parler de notre bande, d'Aristo et de la sienne, et cela me rappela qu'elle ne m'avait toujours pas expliqué ce qu'était un communiste.

– Hum... fit-elle, il est un peu tard, mais je crois que je ferais bien d'essayer de vous l'expliquer sinon vous n'allez jamais dormir.

Elle réfléchit un instant avant de commencer :

– Etre communiste, c'est vouloir beaucoup de bonnes choses pour tout le monde... En tout cas c'est l'idée générale.

– Alors c'est bien d'être communiste, dis-je, soulagée que cela ne fût pas pire.

– Cela dépend si l'on vit dans la réalité ou pas, rétorqua grand-mère.

Nous nous regardâmes, les yeux ronds.

– On ne comprend pas, dis-je, parlant au nom de tous.

– Cela ne m'étonne pas, remarqua grand-mère, en prenant appui sur son coude. Je vais vous expliquer autrement. Aristo et sa famille, par exemple, ils ont tout ce qu'ils désirent : à boire et à manger, des vêtements sur le dos, des chaussures aux pieds, de bonnes études pour leurs enfants. Bref, ils ont toujours eu de tout en abondance, et ils imaginent qu'il en sera toujours ainsi. On pourrait croire que, étant tellement gâtés par la vie, ils accepteraient de partager ce qu'ils possèdent avec de moins heureux qu'eux. Eh bien, il n'en est rien. Si l'un d'entre vous allait trouver Aristo et lui disait : « Ecoute, Aristo, montre-toi bon voisin et donne-moi un peu de ce pain que tu destinais à ton chien », il le prendrait pour un fou et lui lâcherait sûrement son chien pour le punir de son insolence.

– Moi je partagerais mon pain si on me le demandait, dit Paul avec gravité.

– Et pourquoi le ferais-tu ? demanda grand-mère pour vérifier s'il avait compris.

– Parce que je ne pourrais pas manger si je savais que quelqu'un d'autre avait faim, répondit Paul, indigné.

Je hochai la tête tandis que Marko ne pipait mot et devenait brusquement cramoisi.

– Eh bien, reprit grand-mère, partager, ou posséder des choses en commun, c'est cela dont il s'agit. Etre communiste, c'est partager.

– Alors c'est bien ? insistai-je.

– L'idée est bonne, mais c'est quelque chose à quoi on arrive tout seul, lentement, rétorqua grand-mère d'un ton où pointa soudain une certaine colère. Vouloir

courir avant de savoir marcher ne peut que nous attirer des ennuis.

Les garçons avaient l'air ahuri, mais pour ma part je commençais à comprendre.

– C'est pour cela qu'il y a une nouvelle guerre ? demandai-je.

– C'en est un des aspects, soupira grand-mère.

– Quel est l'autre ?

A l'instar des garçons, grand-mère en avait assez de la politique.

– Ecoute, dit-elle, c'est trop compliqué à expliquer pour l'instant. Je ne suis même pas sûre d'y comprendre grand-chose moi-même. Mais ce que je comprends, c'est qu'on a besoin de temps... et non de guerre. Le communisme est un idéal, pas une réalité applicable. Pas encore, en tout cas.

Je ne la suivais plus à mon tour, mais il me restait encore une question à poser.

– Est-ce que notre mère est communiste, elle aussi ? Et toi, grand-mère, et notre père et tante Hercule ?

– Et Jésus ? intervint Marko.

Je lui lançai un regard mauvais.

– Et tante Dina ? poursuivis-je, sachant confusément qu'oncle Tasso n'avait pas sa place dans mon énumération. Grand-mère redonna forme à son oreiller avant d'y poser la tête.

– Hum... dit-elle, hum...

A mon avis, elle a dû se dire qu'il fallait répondre à ma question le plus simplement possible.

10

LE LENDEMAIN, LE PREMIER DE L'AN, NOUS FÛMES RÉVEILLÉS PAR L'ODEUR DES ORANGES ET DU MIEL, des clous de girofle et de la cannelle. Nous nous habillâmes en vitesse, nous débarbouillâmes sommairement et descendîmes à la cuisine voir ce qui s'y préparait. Tante Hercule était en train de faire de la pâtisserie. Avec humeur elle mélangeait dans une grande jatte les ingrédients du gâteau de nouvel an, le *melomaka-*

rouna, comme s'il s'agissait d'un devoir et non d'un plaisir. Elle versa l'huile, l'ouzo et l'orange pressée négligemment, en en renversant par terre une bonne partie. Puis elle mélangea le tout d'un air mauvais, grimaçant. Enfin, elle ajouta la cannelle, les clous de girofle et les noix pilées, et battit le tout avec rage.

Un *pita,* le pain rond du nouvel an, avait été mis à lever. Dans la cour, grand-mère s'apprêtait à allumer le four.

– Pourquoi fais-tu encore des gâteaux, tante Hercule ? m'étonnai-je. Les souris ont déjà mangé ta dernière fournée ?

– Oui, c'est ça, les souris... grommela notre tante sans relever la tête.

Je regardai Paul et Marko. Mon frère était aussi interloqué que moi. Quant à Marko, il fila vers la porte, disant qu'il allait aider grand-mère à allumer le feu. Grand-mère se donnait rarement la peine d'allumer le four à pain car il consommait beaucoup trop de bois, mais aujourd'hui celui du village était fermé.

Quelques jours auparavant, les enfants étaient venus de tout le village apporter au four communal les plateaux à cuire, en équilibre sur leur tête, les yeux brillants de plaisir, songeant à la pièce cachée dans le pita. « Ma mère a mis une drachme* dans notre pita », avait dit l'un d'eux. « Moi, elle en a mis une toute

---

* Unité monétaire de la Grèce.

neuve », avait lancé un autre. « Mon oncle d'Amérique nous a donné une pièce de cinq drachmes pour notre pita », s'était vanté un troisième enfant. « C'est rien du tout, moi, ma mère, elle a mis un souverain d'or...» Naturellement, ce ne pouvait être qu'Aristo : il fallait toujours qu'il ait le dernier mot.

Tante Hercule avait mis une drachme dans notre pita, une drachme que j'avais polie comme un miroir. Je me demandai si les souris l'avaient aussi mangée. J'avais envie de poser la question à tante Hercule, mais son air renfrogné m'en dissuada. Pourquoi faisait-elle la tête ? On n'y pouvait rien s'il y avait des souris.

Je fis signe à Paul de me suivre et nous sortîmes. Grand-mère avait allumé le four, et Marko essuyait la sueur qui perlait à son front.

– C'est un véritable soufflet de forge ! s'exclama grand-mère en lui caressant la tête. Je ne m'en serais jamais sortie sans lui.

Marko rayonnait, les joues rougies par l'effort. Il avait l'air en bien meilleure santé que Paul et moi, qui étions toujours pâles, sauf en été. Marko, lui, avait bonne mine en toutes saisons.

N'étant d'aucune utilité à la maison, nous nous rendîmes sur la place du village, pensant y trouver des membres de notre bande, ce qui ne manqua pas. Quelques instants plus tard, Aristo et ses amis arrivèrent à leur tour. Ils semblaient bien disposés à notre égard puisqu'ils vinrent nous serrer la main et nous souhaiter une bonne année. Certains d'entre nous s'y refusèrent, mais je leur expliquai qu'il s'agissait d'une trêve et non d'une paix. S'ils finirent par accepter les mains tendues, ce fut à contrecœur.

Nous passâmes néanmoins la matinée à jouer avec eux à cache-cache et à chat, et tout le monde se comporta au mieux. Je me disais qu'il était facile de bien s'entendre si chacun y mettait du sien et se mêlait de ce qui le regardait. Et nos parents seraient avec nous au lieu de rester dans les collines, et Aristo serait notre ami, et son père pourchasserait les véritables criminels et non les gens qui avaient le tort de ne pas penser comme lui.

Nous avions décidé d'être gentils toute la journée lorsque, juste avant midi, Aleko, le petit-fils de Notta l'herboriste, âgé de sept ans, vint à la fontaine y remplir la cruche de sa grand-mère. D'un commun accord, nous fîmes tous cercle autour de lui et fixâmes des yeux la cruche placée sous le robinet. Craignant que nous ne prenions sa cruche pour cible et ne la brisions avec nos frondes, le petit Aleko s'en rapprocha et nous regarda d'un air sombre et inquiet.

– Salut, Aleko ! Bonne année, dit Tom, le fils du boulanger.

– Bonne année, répondit timidement Aleko.

– Viens voir un peu ici, reprit Tom. Tu ne voudrais pas par hasard que ta cruche se transforme en deux autres cruches ?

Les yeux ronds comme des soucoupes, Aleko secoua la tête.

– Pense comme ça ferait plaisir à ta grand-mère, roucoula Tom.

– Le Père Noël t'apportera un autre cadeau si tu acceptes, renchérit Gina.

– Un tank qui crache du feu pour de vrai, ajouta Aristo avec un sourire mauvais.

Et cela marcha. Le petit Aleko acquiesça, et Tom entreprit aussitôt de lui montrer comment il fallait faire. Tirant trois fois sur le lobe de ses oreilles, il demanda à Aleko d'en faire autant. Aleko obéit.

– Maintenant, poursuivit Tom, prends ta cruche, crache dessus trois fois et lâche-la. Mais n'oublie surtout pas de te tirer trois fois sur les oreilles avant qu'elle touche terre, autrement cela ne marchera pas. Prêt ?

Aleko hocha la tête, tremblant d'excitation. Tom lui donna une tape amicale dans le dos.

– C'est facile, mais ferme bien les yeux et compte jusqu'à dix.

Aleko suivit scrupuleusement les instructions de Tom. Il tira sur ses pauvres petites oreilles jusqu'à ce qu'elles en rougissent, lâcha la cruche, ferma les yeux et attendit qu'elle se dédoublât ainsi que le lui avait promis Tom. Lorsque enfin il rouvrit les yeux, il était seul devant la fontaine, sa cruche bri-

sée en mille morceaux à ses pieds.

J'ai honte de dire que cela nous fit rire aux larmes et nous donna même des crampes d'estomac.

– Il ne lâchera plus sa cruche dorénavant, conclut cyniquement Tom, pensant peut-être que la leçon qu'avait reçue Aleko pourrait lui servir plus tard dans la vie.

11

À LA FIN DE LA JOURNÉE ON NOUS REMIT NOS CADEAUX. JE REÇUS UN ATLAS, MAIS PAS LES CHAUSSURES QUI, DE TOUTE FAÇON, N'ÉTAIENT QU'UN RÊVE. Paul eut un nouveau plumier, avec cinq crayons de couleur. Il adorait dessiner et ne regretta pas trop de ne pas avoir eu de tank comme celui d'Aristo – comme mes chaussures vernies,

le tank était, lui aussi, un rêve. Marko reçut un harmonica dont il avait envie depuis longtemps, bien que le cochon lui eût certainement fait davantage plaisir.

Le soir, le couvert fut dressé dans la *sala* pour le dîner de réveillon. En temps normal, cette pièce était interdite aux enfants. Nous n'avions le droit d'y pénétrer qu'en de rares occasions, comme aujourd'hui, ou lorsque nous avions des invités. C'était une jolie pièce qui nous plaisait d'autant plus qu'elle nous était interdite. Si le reste de la maison n'était pratiquement pas meublé, en revanche, dans la sala, il y avait des tapis, des tapisseries aux murs exécutées par tante Hercule, de petites tables basses aux plateaux de marbre, sur lesquelles étaient disposées des photos

(parmi lesquelles la photo de mariage de nos parents), un immense miroir au cadre doré, une armoire si grande qu'elle nous faisait penser à la grotte de la colline, un coffre en bois qui avait contenu le trousseau de grand-mère et une commode à six tiroirs.

Au centre de la pièce trônait une grande table en acajou avec ses six chaises assorties, que notre grand-père avait rapportées d'un de ses voyages. Le plateau était si bien ciré que l'on pouvait s'y voir comme dans un miroir ; aujourd'hui il était couvert d'une nappe d'un blanc éblouissant. Nous prîmes bien garde de ne pas la salir en dégustant le poulet rôti, les pommes de terre dorées et croustillantes à souhait, les salades au fromage de brebis et les belles tranches de pita fleurant bon le beurre et les œufs. Marko eut la pièce, cela va sans dire. Je ne sais pas pourquoi, mais dès qu'il y a quelque chose à gagner ou à trouver, cela revient toujours à Marko.

– Que vas-tu en faire, Marko ?

Marko réfléchit un moment avant de déclarer :

– Je crois que je vais m'acheter un paquet de chewing-gums. Oui, exactement. Et pour cinq lepta*, ceux qui le désirent pourront en mâcher quelques instants.

– Ce garçon sera soit un grand homme d'affaires, soit un grand escroc, conclut grand-mère avant d'ajouter d'un ton sec : ce qui revient strictement au même, si vous voulez mon avis.

---

* 100 lepta = 1 drachme.

Mais tante Hercule n'en fut pas autrement gênée :

– Mon fils sait fort bien se débrouiller, dit-elle en se rengorgeant.

– Tant qu'il n'a pas de morts sur la conscience... rétorqua froidement grand-mère.

Nous nous sentions un peu lourds après le repas. Nos estomacs n'étaient pas habitués à tant de nourriture à la fois. De plus, le vin nous était monté à la tête bien que grand-mère eût pris soin de le couper d'eau. Nous nous serions assoupis si grand-mère n'avait soudain mis son doigt sur ses lèvres et fait signe à tante Hercule d'éteindre la lumière. Nous reprîmes instantanément nos esprits et restâmes aux aguets. On avait entendu dire que des gens avaient été arrêtés chez eux à la tombée de la nuit et nous étions persuadés que le chef de la police était en route vers la maison. Je me rapprochai de Paul et le serrai dans mes bras. Il se blottit contre moi, sa main dans la mienne, et je compris alors qu'il n'était encore qu'un petit garçon. Marko alla se réfugier dans le giron de sa mère qui posa sa main sur la bouche d'Aki pour l'empêcher de faire le moindre bruit.

Quelques instants plus tard, nous entendîmes des pas sur le balcon et le bruit de la poignée de la porte que l'on tournait. Puis le silence retomba comme par enchantement.

12

NOUS NE NOUS APER-
ÇÛMES DE SA PRÉSENCE
QUE LORSQU'IL FUT DANS
LA PIÈCE. IL ÉTAIT ENTRÉ
dans la maison aussi silencieusement qu'un chat, évitant de faire
grincer les lattes du plancher. Il se découpait à peine dans l'obscurité, mais nous le reconnûmes tout de suite.

– Papa, murmurâmes-nous, trop surpris pour crier. Papa…

Et nous glissâmes de nos chaises pour nous jeter dans ses bras.

Grand-mère alluma des bougies qu'elle disposa par terre pour
que l'on ne voie pas la lumière de l'extérieur.

– Vous pouvez parler, dit-elle, mais le plus bas possible.

– Papa… c'est tout ce que nous parvînmes à répéter un bon
nombre de fois, encore incrédules. Papa… tu es venu…

– Je suis venu souhai-
ter une bonne année à
mes vaillants petits
combattants. Je suis
parfaitement au cou-
rant de ce qui se passe
au village, vous savez.

Il était plutôt gai et enjoué. Toutefois, à la lueur des bougies, nous vîmes bien que ses yeux ne souriaient pas. Il était tendu, très tendu. Nous sentîmes combien il lui était difficile de soùrire ; mais il était bien décidé à ne pas gâcher notre soirée.

– Et serais-je venu les mains vides un jour comme celui-ci ?

Paul eut son tank. Papa dit que ce jouet-là faisait fureur cette année. Comme celui d'Aristo, il crachait du feu, la tourelle pivotait et il avançait sur des chenilles.

– Merci, papa, merci, chuchota Paul en se jetant à son cou. Aristo va être jaloux lorsqu'il apprendra qu'il n'est plus le seul à en avoir un comme ça.

– Qui est Aristo ? demanda doucement papa.

– Le fils du chef de la police, répondit aussitôt Paul. C'est un bagarreur et il a sa bande à lui, les Guerriers.

Paul gloussa en me montrant du doigt.

– Mais Andi s'est battue avec lui le jour où il a pris le pain des petits et elle l'a mordu. Si tu l'avais vue, papa ! On aurait dit qu'elle avait la rage.

Cette fois, papa se mit à rire franchement.

– Elle l'a vraiment mordu ? demanda-t-il.

Paul hocha la tête, faisant danser ses belles boucles brunes.

– Oui, je t'assure, papa. Elle lui a mordu le mollet et il a gardé la marque de ses dents toute une semaine.

Naturellement, Paul exagérait.

Papa glissa son bras autour de ma taille et m'attira contre lui.

– J'avais bien entendu dire que tu t'étais battue avec lui, mais j'ignorais que tu l'avais mordu.

– Je ne l'aurais pas fait s'il ne m'avait pas tiré les nattes, me défendis-je.

– C'est très bien, ma colombe. Ce n'était pas un reproche. Si j'avais su que tu étais aussi courageuse et aussi sérieuse, je t'aurais choisi un autre cadeau.

Il sortit de son sac à dos un paquet enveloppé d'un papier de couleur et me le tendit.

– En attendant, tu vas être obligée de te contenter de cela.

J'ouvris le paquet : c'était une poupée en robe d'organdi rose, avec les bras et les jambes articulés et les yeux qui s'ouvraient et se fermaient. C'était une poupée splendide, et l'année dernière seulement ç'aurait été un cadeau merveilleux. Mais j'avais onze ans, j'allais quitter l'école primaire et seuls me préoccupaient les examens à venir et la guerre ; je me sentis soudain très vieille : le temps de jouer à la poupée était passé.

– Je suis navré, dit mon père pour s'excuser de son cadeau. Je n'imaginais pas que tu avais tellement grandi.

Il dit cela d'une voix triste, comme s'il avait perdu quelque chose de très précieux, si triste que j'en eus le cœur brisé.

Je collai ma joue humide contre la sienne, mal rasée, et le serrai dans mes bras. Que m'importaient les cadeaux ? Tout ce qui comptait, c'était qu'il fût là, qu'il nous prît dans ses bras ; l'important c'étaient ses baisers et tout l'amour qu'il nous portait.

« Reste, papa, reste, reste, reste ! » Voilà ce que je voulais lui crier.

Marko eut une douzaine de petits soldats. Il remercia timidement mon père, puis alla jouer à la guerre avec Paul, à l'autre bout de la pièce. J'étais heureuse que papa ait pensé à Marko. Ce doit être affreux de ne pas avoir de père. Le nôtre, au moins, nous le voyions de temps à autre, même s'il se faisait aussi rare que les hirondelles en hiver.

13

– TU VAS ENCORE T'EN ALLER, PAPA ? DEMANDA PAUL ENTRE DEUX BATAILLES DE PETITS SOLDATS.

– J'en ai bien peur, mon fils.

– Votre père a pris un risque énorme en venant vous voir ce soir, intervint grand-mère.

– Mais le plus grave, dit papa en relevant la tête, c'est que je vous ai mis en danger vous aussi.

– Comment ça, papa ?

Il me prit la main. Je ne sais au juste lequel de nous deux il essayait de réconforter.

– Un partisan peut être abattu à vue comme un chien, nous expliqua-t-il d'une voix grave. Et il en va de même pour quiconque cache un partisan chez lui. Vous comprenez maintenant le danger que nous courons tous ?

Je hochai la tête et me rappelai le jour où le Vieux Cyclope avait demandé à l'instituteur de nous lire la nouvelle loi.

Je racontai cet épisode à papa.

– Je vois que je n'ai plus rien à ajouter, déclara-t-il, mais soyez vigilants, mes enfants, et surtout n'en dites jamais plus qu'il n'est nécessaire. Vous n'avez pas besoin d'être grossiers avec les gens, mais si vous trouvez leurs questions gênantes, jouez les muets.

– Comme avec oncle Tasso ? lança Paul.

– Oui, comme avec oncle Tasso, répéta papa en jetant un regard à grand-mère.

– De qui d'autre encore faut-il nous méfier ? demanda Marko.

Mon père se leva en haussant les épaules ; ce qui signifiait que la liste était infinie. Puis il nous regarda dans les yeux, comme s'il désirait qu'on l'écoutât très attentivement.

– Je ne voudrais pas vous inquiéter, répondit-il enfin, mais vous devez vous méfier de tout le monde : voisins, amis... des gens que vous connaissez depuis toujours. Vous voyez ce que c'est que cette guerre : un mot imprudent ou un regard déplacé peuvent perdre quelqu'un. N'oubliez jamais ça.

– Alors, on ne peut montrer à personne les cadeaux que tu nous as apportés ?

J'étais fière de la manière dont Paul avait saisi la situation. Papa aussi eut l'air satisfait.

– C'est exact, mon fils. Je suis heureux de te voir si raisonnable. Et toi aussi, ajouta-t-il en se tournant vers Marko de peur qu'il ne se sente oublié.

– Est-ce que tu étais dans les montagnes avec tante Cassie ? demanda Marko.

Papa nous regarda tour à tour, Paul et moi.

– Je ne vous ai pas parlé de votre mère parce que je n'en ai pas le droit, et moins vous en saurez mieux cela vaudra.

Puis il nous fit un large sourire malicieux.

– Mais j'ai entendu dire qu'elle vous embrassait de tout son cœur.

Cela nous fit éclater de rire. La tension tomba brusquement ; nous étions à nouveau heureux et pleins d'espoir comme on se doit de l'être au début d'une nouvelle année. Puis papa nous expliqua qu'il était venu nous voir ce soir parce qu'il allait partir en voyage et ne savait quand il reviendrait.

– Tu vas retourner dans les montagnes ? demanda Paul.

– Non, mon fils, mon travail m'appelle ailleurs.

– Alors, où tu vas ? insista Paul.

Papa hésita un instant.

– Je pars en Egypte, finit-il par avouer.

Grand-mère s'étrangla, comme si elle avait avalé une arête de poisson.

– Et comment comptes-tu te rendre là-bas ? demanda-t-elle dans un souffle.

– En bateau, répliqua papa le plus naturellement du monde, comme s'il devait partir en pique-nique de l'autre côté de la baie.

– Et comment comptes-tu trouver un bateau, avec tout ce monde à ta recherche ?

– On a tout arrangé.

– Qu'est-ce qui est arrangé ?

– Le bateau... je l'ai.

– Tu as le bateau... fit grand-mère qui se remettait peu à peu de son émotion.

– Oui, Lella, reprit patiemment papa, comme s'il s'adressait à un enfant. J'ai le bateau ; il est caché sous l'appontement.

Grand-mère se redressa sur sa chaise. Elle avait repris ses esprits.

– Et quel genre de bateau est-ce ? s'enquit-elle d'un ton assez hautain.

– C'est un bateau-pilote, nous informa papa. Il mesure environ deux mètres de long sur un de large et il peut transporter jusqu'à cent kilos de cargaison ; il a un mât, une grand-voile et un foc et peut filer quatre nœuds si les vents l'accompagnent.

– Et s'il n'y a pas de vent ?

– Eh bien, il faudra que je rame.

– Tu vas ramer jusqu'en Egypte dans un canot ? s'écria vivement grand-mère. Dis-moi où tu vas exactement...

– Je me dirigerai d'abord vers la Turquie, puis je longerai la côte jusqu'à Alexandrie.

– C'est de la folie, Antoine. De la folie pure et simple ! s'exclama tante Hercule.

– Je n'ai pas le choix, déclara papa. Je suis beaucoup trop connu ici à présent pour être utile.

– Et que vas-tu faire en Egypte, papa ? demandai-je.

 Il me caressa le visage du revers de la main.

– Rejoindre des gens qui pensent comme moi pour essayer de mettre fin à cette guerre.

– J'ai vraiment l'impression que tu fais tout ce qu'il faut pour finir noyé ! coupa grand-mère d'un ton acide.

Puis elle s'enfouit le nez dans un coin de son tablier et souffla comme un éléphant.

Papa se leva et la prit dans ses bras.

– Allons, Lella, dit-il, nous avons connu bien pire tous les deux, non ?

– C'est aux enfants que je pense, mon fils. Pauvres gosses, ils vont peut-être se retrouver orphelins.

Papa revint s'asseoir auprès de nous.

– Il n'en est pas question une seconde, affirma-t-il. Lorsque cette guerre sera finie, Cassie et moi nous les retrouverons.

Puis, nous attirant contre lui, il ajouta :

– Oui, une fois la guerre finie, nous ne nous quitterons plus jamais, jamais. Rien ni personne ne pourra plus nous séparer.

– Et combien de temps te faudra-t-il pour arriver à Alexandrie ?

s'enquit tante Hercule.

– Je ne sais pas, Hara, répondit papa en haussant les épaules. Des semaines, peut-être des mois… En mer, tout dépend de la chance…

– Comment s'appelle ton bateau, papa ? demandai-je.

Il me semblait important qu'il ait un nom, ce serait plus facile d'y penser, de se dire qu'il existe vraiment.

– Euh… voyons voir, commença papa d'un air songeur. Il est très petit, tu sais… en pleine mer il n'est pas plus gros qu'une coquille de noix.

– *La Petite Coquille de noix !* m'exclamai-je. Oh ! papa, appelons-le *La Petite Coquille de noix !*

– D'accord, convint papa. D'accord, ce sera *La Petite Coquille de noix.* Que Dieu la bénisse !

CHAPITRE QUATORZE

– Et tous ceux qui sont à bord ! ajoutâmes-nous d'une seule voix

14

DES ADIEUX SILENCIEUX, QUELQUES BAISERS PRÉCI-PITÉS, ET PAPA DISPARUT, ENGLOUTI PAR LA NUIT.

Tapis derrière un massif de bambous, nous attendîmes que *La Petite Coquille de noix* sorte de sa cachette. Au bout de quelques instants, elle apparut, minuscule embarcation dont le mât pointait dans le noir, avec sa voile encore enroulée et la toute petite silhouette de notre père, s'amenuisant à chaque coup de rames. Elles avaient été enveloppées dans des sacs de toile pour qu'elles fassent le moins de bruit possible en touchant l'eau, et l'obscurité était telle que nous n'aurions jamais deviné la présence de notre père si nous ne l'avions vu partir. Puis nous le perdîmes de vue et rentrâmes tous trois tristement à la maison. Même Marko avait l'air sincèrement affligé, bien que papa ne fût pas son père.

Je retins mes larmes en franchissant le seuil, mais grand-mère comprit ce que je ressentais. Sans un mot, elle m'attira vers elle et me tint serrée dans ses bras. C'est alors que je donnai libre cours à mes larmes et crus qu'il me serait impossible de rire à nouveau.

Paul pleura, lui aussi, jusqu'à ce que le sommeil le gagne, dans sa petite chambre qui jouxtait la nôtre. Je voulus aller le consoler, mais grand-mère me dit que la peine était un sentiment très personnel et que chacun avait sa propre méthode pour en venir à bout.

– Je ne peux pas supporter de voir souffrir Paul, sanglotai-je. Grand-mère éteignit la lumière.

– Je sais, dit-elle, mais il est jeune, cela passera.

15

L'ÉCOLE REPRIT À LA FIN DU MOIS DE JANVIER, AVEC DAVANTAGE DE DEVOIRS, SURTOUT POUR ceux qui devaient passer des examens. Nous travaillâmes tous dur, sauf Aristo qui ne faisait jamais ses devoirs. C'était inutile, sa place au lycée lui était assurée. Et, comme disait le père de Loulou : « Ce n'est pas ce que tu as dans le crâne qui te donnera

donnera la place, mais qui tu connais et combien tu peux sortir de ta poche. »

Il plut sans discontinuer de janvier à février. Puis il y eut une accalmie au début du mois de mars et, par un beau dimanche, grand-mère nous proposa de monter à la bergerie. Nous acceptâmes sans hésiter, essayant toutefois de dissimuler notre joie. Nous allions enfin pouvoir retourner à la grotte.

– Je me demande si les fusils sont toujours là, hasarda Paul, pensant à voix haute.

Marko lui aussi se posait des questions.

– Je me demande si on va encore apporter quelque chose de particulier… à la bergerie… dit-il avec une hésitation qui ne lui ressemblait guère.

– Nous ne savons pas si nous avons apporté quelque chose la dernière fois, répondis-je. Nous n'avons pas réussi à défaire le nœud, tu te souviens ?

– Peu importe, je suis quand même sûr et certain qu'on a apporté quelque chose la dernière fois, rétorqua Marko d'un ton sans réplique cette fois, comme s'il avait fait une découverte.

Poussant un cri strident, je fondis sur lui et le clouai au sol comme une punaise.

– Ne joue pas à ça avec moi, susurrai-je. Je compte jusqu'à

cinq et si tu n'as pas cra-
ché tout ce que tu sais
avant que j'aie fini, je
t'assomme.

Marko me foudroya
du regard, mais il eut
l'intelligence de com-
prendre qu'il avait perdu
la partie.

– D'accord, d'accord...
concéda-t-il. Lâche-moi,
je vais tout te dire.

Je le laissai se relever et Paul l'aida à brosser un peu ses
habits.

– Allez, dis-je. Parle et n'oublie rien.

– Bon, ça va... Il y a quelques semaines, j'ai vu grand-mère
monter au premier avec une boîte de sucre en morceaux. J'ai
attendu qu'elle redescende et je suis monté à mon tour pour
chercher la boîte. J'ai cherché partout... mais je n'ai rien
trouvé. J'allais abandonner quand je me suis dit que je n'avais
pas regardé dans la sala. Je n'avais pas pensé à cette pièce parce
que je croyais qu'elle était fermée à clé, comme d'habitude.
Mais, en tournant la poignée, la porte s'est ouverte comme par
enchantement. J'ai commencé par fouiller l'armoire et c'est là
que je l'ai trouvée : une boîte pleine de morceaux de sucre. J'en
ai mis quelques-uns dans mes poches...

– Et quelques autres dans ta bouche, coupa Paul d'un ton moqueur.

– C'est vrai, reconnut Marko, et là-dessus, je me suis dit que je pourrais peut-être jeter un coup d'œil dans l'autre boîte, plus petite, qu'il y avait juste à côté. J'ai à peine soulevé le couvercle ; j'avais peur que grand-mère, ou l'un de vous deux, n'arrive, mais quand j'ai vu ce qu'il y avait dedans, j'ai cru que j'avais des hallucinations. Je n'en croyais pas mes yeux. Il y avait ce trésor, vous vous imaginez un peu ?

Marko plongea la main dans sa poche et, lorsqu'il la ressortit, nous découvrîmes au creux de sa paume une petite pièce ronde qui avait tout l'air d'être en or : c'était un souverain d'or anglais. Je le reconnus immédiatement parce que l'instituteur nous en avait montré un à l'école. Je ne sais pas d'où il le tenait, mais il paraît qu'avant la grande guerre beaucoup de gens avaient converti leurs économies en or. En tout cas, je n'avais jamais entendu dire que nous en avions, et encore moins une boîte entière.

– Marko, dis-je, est-ce que tu as eu le temps de les compter ?

– Non, j'avais bien trop peur de rester dans la sala après cette découverte, alors j'ai refermé le couvercle et je suis parti.

– Il y en avait combien, à ton avis ?

– Je ne sais pas exactement, Andi ; mais assez pour couvrir le fond de la boîte.

– Elle était grande comment, cette boîte ?

– C'était une boîte de loukoums.

– Quelle taille ?

– La plus petite.

Elle devait donc faire à peu près quinze centimètres sur huit ; ce qui était suffisant pour renfermer une petite fortune.

– Et que comptais-tu faire de celle-ci ? demandai-je sévèrement en désignant la pièce qui brillait dans la main de Marko.

– Euh... rien... rien... bredouilla-t-il. Je voulais juste la garder un petit peu.

Je le crus. C'était bien là le genre de choses dont il était capable. Marko n'était pas un voleur et, de toute façon, il avait de l'argent en ce moment. Sa trouvaille de faire payer cinq lepta à ses petits copains pour mâcher un instant ses chewing-gums avait fort bien marché et, certains jours, la queue des enfants qui attendaient leur tour de « mâchonnage » atteignait la maison de Ritzo. Grand-mère n'était pas contente, mais tante Hercule soutenait que Marko ne faisait rien de mal. Elles n'abordèrent plus ce sujet, et la petite bourse de cuir de Marko s'arrondit de jour en jour.

– Très bien, Marko, fis-je ; maintenant tu vas aller remettre cette pièce où tu l'as trouvée. Grand-mère sait certainement combien il y en a dans la boîte, et il ne faudrait pas qu'elle s'aperçoive qu'il en manque une. Visiblement, elle ne tient pas à ce que l'on connaisse l'existence de ces pièces, autrement elle nous en aurait parlé.

Comme moi, les garçons durent se demander comment il se faisait que nous soyons si démunis à la maison alors que nous possédions un tel trésor. A moins... à moins que cet argent ne nous appartienne pas vraiment...

Paul fit probablement le même raisonnement que moi car il s'écria soudain :

– J'ai trouvé !

– Tu as besoin de crier ?

– Ecoutez, reprit-il à voix basse, je crois que Stammo est une sorte d'intermédiaire, un messager, quoi...

– Un intermédiaire ? Pour quoi faire ?

– Un intermédiaire entre nous et les partisans et... nous... euh... enfin, grand-mère nous envoie chez Stammo lorsqu'elle a quelque chose à faire savoir aux partisans... ou quand les partisans qui se battent dans le coin lui font savoir qu'ils ont besoin d'argent.

– Alors tu crois que l'argent leur appartient et que grand-mère le garde pour eux ?

– Mais il faut beaucoup plus d'argent que ça pour faire la guerre, objecta Marko, l'esprit pratique.

– C'est juste, admis-je, mais suppose que ce soit de l'argent mis de côté pour des médicaments ou des choses dans ce genre.

– Et maman est infirmière, nous rappela Paul.

– Et papa a dit qu'ils manquaient à peu près de tout, là-haut, non ?

Paul hocha la tête et nous restâmes un moment silencieux, perdus dans nos pensées.

– Mon Dieu ! s'exclama soudain Marko.

– Qu'est-ce qu'il y a encore ?

– On va tous être fusillés… murmura-t-il. Si jamais ça se sait on sera tous fusillés, comme l'a dit votre père. On est mouillés jusqu'au cou et elle (il voulait parler de grand-mère) va nous envoyer encore là-bas.

– Un peu plus, un peu moins, remarqua Paul en haussant les épaules. Si ça peut te rassurer, il y a moins de risques qu'on nous soupçonne, nous, que si grand-mère se rendait elle-même à la bergerie. Les enfants vont toujours jouer dans les collines pour échapper aux corvées. En tout cas, moi, ça ne me fait pas peur.

– Moi non plus, intervint Marko. S'ils viennent nous chercher, je sais très bien où je me cacherai.

– Je parie que tu as déjà entreposé toutes sortes de provisions dans ta cachette, ajoutai-je d'un ton railleur.

– Bien sûr… je ne vais quand même pas me laisser mourir de faim, non ?

Cela encore ressemblait bien à Marko.

16

STAMMO AVAIT L'AIR RAVI DE NOUS VOIR. UNE OU DEUX FOIS, JE LE SURPRIS À NOUS OBSERVER FURTIVEMENT. J'ESSAYAIS DE CROISER SON regard, mais chaque fois il détournait les yeux et je finis par croire que je me trompais.

Nous ne restâmes pas longtemps à la bergerie. Dès que nous lui eûmes remis ses provisions (il n'y avait pas de message cette fois), nous voulûmes partir. Mais Stammo nous retint encore un moment et nous coupa, pour grand-mère, un morceau de feta qu'il enveloppa dans du papier. Ensuite, nous nous précipitâmes vers la grotte. Il était devenu dangereux ces derniers temps de s'aventurer dans les collines et nous avions reçu l'ordre de rentrer avant la nuit.

Nous dévalâmes la pente, sentant encore dans notre dos le regard perçant du vieux berger. Je me retournai malgré moi et lui fis au revoir de la main. Il avait une drôle d'allure dans sa *foustanella* * plissée, appuyé sur son bâton, emmitouflé dans son grand manteau de laine écrue retenu par une grosse épingle de nourrice, les jambes protégées par des espèces de guêtres en même laine écrue et portant aux pieds de solides bottes noires ornées de pompons de couleur. Je ressentis soudain une violente affection pour ce vieil homme, et je fis des vœux pour que son chien soit toujours à ses côtés et le défende en cas de malheur.

La haie qui masquait l'entrée de la grotte semblait s'être épaissie depuis notre dernier passage, mais nous réussîmes néanmoins à la traverser. J'avais oublié de prendre la lampe de poche ; heureusement, Paul avait des allumettes que nous parvînmes à enflammer sur la paroi rugueuse. Marko fut le premier à pénétrer dans la grotte.

– Les fusils sont toujours là ? cria Paul, plus pour entendre le son de sa propre voix qu'une réponse de Marko.

Il entra à son tour et je le suivis. J'étais en train de me redresser lorsqu'une main se plaqua sur ma bouche, me coupant net la respiration. Puis quelqu'un alluma une bougie, et je ne sais ce qui était pire : l'obscurité ou les gigantesques ombres qui dansaient sur les parois de la grotte.

Je cherchai des yeux Paul et Marko et finis par les apercevoir à l'autre extrémité de la grotte, maintenus contre le mur par un

---

* Jupe blanche et plissée portée par les soldats de la Garde nationale grecque.

homme au visage enveloppé de bandages. Seuls ses yeux, sa bouche et son nez étaient visibles. De l'autre côté, à l'entrée de la grotte, un homme nous menaçait de son fusil. Il était adossé à une pile de sacs et gémissait, mais la main qui tenait le fusil était ferme.

Le troisième homme, celui qui essayait de m'étouffer, avait le bras gauche en écharpe, soutenu par un linge sanguinolent, et il lui manquait un morceau de l'oreille droite.

– Eh bien, chuchota l'homme au fusil, il ne nous manquait plus que ça ! Une bande de mioches curieux qui vont nous dénoncer... Tu peux la relâcher maintenant, ajouta-t-il en me montrant du doigt.

L'homme qui me bouchait le nez et la bouche retira sa main. Je n'ai jamais rien goûté d'aussi délicieux que cette bouffée d'air, pourtant fétide, qui s'engouffra dans mes pauvres poumons.

– Bon, alors ? Qu'est-ce qu'on va faire d'eux ? Si on les laisse partir, on est morts.

L'homme au fusil grimaça un sourire, un sourire mauvais.

– On peut toujours leur trancher la gorge, proposa-t-il d'un ton aussi naturel que s'il se fût agi de poulets ou de lapins.

– Qu'est-ce que tu en penses ? demanda-t-il à celui qui me tenait toujours.

L'homme haussa les épaules comme si cela lui était égal, mais il précisa :

– Je n'ai encore jamais tué d'enfants. En tout cas, pas de sang-froid.

– On n'a pas tellement le choix, poursuivit l'homme qui était auprès de Paul et de Marko. Si on les laisse partir, ils vont parler, et c'est la mort assurée pour nous tous... et pour bien d'autres.

L'homme qui me tenait hésita.

– Je ne sais pas, articula-t-il, moi, j'ai deux enfants...

– C'est pas le moment de faire du sentiment, gronda celui qui tenait le fusil. On est en guerre, n'oublie pas.

Je préfère ne pas penser à ce qui aurait pu advenir de nous si mon petit frère n'avait eu l'idée géniale de demander :

– Vous êtes des *andartes**?

Le fusil retomba brusquement avant de remonter pour se placer droit entre les yeux de Paul.

– Et qu'est-ce que ça représente pour toi ?

C'est alors que mon petit frère joua à pile ou face avec nos vies. Sans quitter le fusil des yeux, il répondit :

– Ma mère en est une.

C'était la roulette russe. S'il se trompait... J'osai à peine respi-

---

* Partisans.

rer de peur que mon souffle ne fasse retomber la hache sur nos têtes, mais je priai de tout mon cœur : « Mon Dieu, faites que ce soient des partisans et non des monarchistes, et j'allumerai un cierge tous les dimanches jusqu'à la fin de mes jours.»

Le fusil s'abaissa imperceptiblement.

– Et comment s'appelle ta mère ?

Paul se racla la gorge.

– Elle s'appelle Cassandre Laskari, répondit-il calmement.

– Et que fait-elle avec les andartes ?

– Elle est infirmière.

L'homme au fusil hocha la tête.

– Et vous êtes ses enfants… tous les trois ?

– Oui.

– J'étais pourtant sûr que Cassie n'avait que deux enfants, dit l'homme d'un ton soudain soupçonneux.

Il fallait faire vite.

– On a toujours considéré Marko comme un frère, intervins-je sans parvenir à esquisser l'ombre d'un sourire.

Mais l'homme qui était assis par terre sourit, lui. Pour la première fois, une ébauche de sourire apparut sur ce visage sombre et fermé.

– La loyauté est une bien belle chose, la plus belle au monde, remarqua l'homme au fusil avant de se tourner vers Marko. J'espère que tu en es digne, ajouta-t-il gravement.

L'atmosphère se détendit progressivement. Les hommes voulurent savoir comment nous avions découvert la grotte. Nous leur racontâmes la façon dont les choses s'étaient passées, en précisant que nous n'en avions parlé à personne, pas même à nos parents ni à nos meilleurs amis.

– Parfait, nous sommes donc en sécurité ici.

– Ne vous inquiétez pas, dit Paul, nous ne dirons rien du tout.

– Alors comme ça vous êtes allés voir le berger... le vieux Stammo ?

Nous acquiesçâmes.

– Et j'ai quelques raisons de croire que vous avez compris de quoi il retournait.

Nous acquiesçâmes de nouveau.

– Et vous comprenez ce qui arrivera... ce qui pourrait arriver si... ?

– Nous n'avons pas peur, lança Marko.

L'homme blessé posa le fusil par terre, à portée de main.

– Vous êtes des enfants courageux, déclara-t-il.

Il avait l'air sincère. Puis il changea de sujet :

– Votre mère doit vous manquer, non ? dit-il en nous regardant, Paul et moi.

Je fondis brusquement en larmes.

– Oh oui ! sanglotai-je. Oh oui !

– Cela vous ferait plaisir de la voir ?

– Oh oui ! s'il vous plaît, répondit Paul d'une voix à peine audible avant d'ajouter : si ce n'est pas trop dangereux.

– C'est toujours dangereux, rétorqua l'homme gravement, mais je vais voir ce qu'on peut faire. Dimanche me paraît un bon jour, qu'en dites-vous ?

– Merci, merci, merci.

C'est tout ce que nous parvînmes à murmurer.

Le blessé eut soudain l'air ennuyé.

– J'ai bien dit que j'allais essayer, je ne promets rien du tout, ajouta-t-il.

– S'il vous plaît, monsieur, dites-lui que nous l'aimons, ajouta Paul d'une toute petite voix.

– Je n'y manquerai pas, répondit l'homme avec douceur.

Puis il se dirigea vers l'entrée de la grotte.

– Allez, partez. Et faites attention qu'on ne vous voie pas sortir de la haie.

Nous étions sur le point de partir lorsqu'il demanda :

– Le vieux Stammo vous a donné du fromage, n'est-ce pas ?

Je hochai la tête, stupéfaite qu'il ait été au courant de ce détail.

– Cela vous ennuierait de nous en laisser un morceau ?

Je lui tendis le paquet que Stammo nous avait remis pour grand-mère. Il le prit et nous pria d'aller attendre dehors.

– Andreas va vous le rapporter.

Nous rampâmes hors de la grotte et, peu après, Andreas, l'homme au visage bandé, nous glissa le restant de fromage enveloppé dans le torchon rouge de grand-mère.

– Bonne chance, et soyez très prudents, nous cria-t-il, la voix étouffée par les bandages et la paroi de la grotte.

– Vous aussi !

Quelques instants plus tard nous dévalions les sentiers de chèvres, les ravins, laissant bientôt loin derrière nous la bruyère et la myrte, les ajoncs et les pins, pour nous retrouver parmi les oliviers, les citronniers et les orangers du petit verger de Notta.

Arrivés à la porte de la maison, nous reprîmes notre souffle, nous jurant de garder le secret.

– Pas un mot au sujet de dimanche prochain, déclarai-je avec autorité. D'accord ?

– D'accord.

17

LE SAMEDI SOIR, PAUL ET MOI DÉCLARÂMES À GRAND-MÈRE QUE NOUS VOULIONS PRENDRE UN BAIN ET NOUS LAVER LES CHEVEUX.

Elle ne manifesta pas la moindre surprise, se contentant de nous regarder avec une certaine insistance ; puis elle remplit au puits la grande marmite de cuivre et la mit sur le feu. Lorsque l'eau fut chaude, elle la versa dans la baignoire étamée et nous demanda si nous prenions notre bain ensemble ou l'un après l'autre. Je laissai Paul commencer : il était plus petit que moi et avait moins de cheveux à laver ; en outre, depuis un certain temps cela me gênait de me montrer toute nue devant quelqu'un d'autre que grand-mère.

– J'imagine que tu veux des rouleaux ? demanda grand-mère en me frictionnant.

– Oh oui ! m'exclamai-je, en espérant ne pas lui avoir mis la puce à l'oreille.

– Tout ce tralala rien que pour aller à l'église ! Tu es sûre que tu ne t'es pas trouvé un fiancé, mon ange ? se moqua-t-elle.

Ah ! les grandes personnes ! Et pourquoi un fiancé ? Pourquoi n'aurais-je pas envie de me faire belle rien que pour le plaisir ?

– Ne dis pas de bêtises, grand-mère, lui lançai-je. J'ai envie de changer de tête pour une fois, c'est tout. J'en ai assez de ces nattes, elles... J'ai l'air d'une gamine.

– Tiens, tiens... intervint tante Hercule de la chambre voisine. Et demain, elle va nous demander un trousseau.

Comment peut-on être aussi sotte et parler sans savoir ? Grand-mère me laissa m'habiller tranquillement et partit chercher les rouleaux. Elle sépara mes cheveux en mèches égales qu'elle enroula soigneusement jusqu'au crâne. Elle avait tellement serré les rouleaux que la peau me tirait.

– Grand-mère, fis-je avec colère, tu me les as trop serrés ! Je vais avoir mal à la tête, c'est sûr.

– Il faut souffrir pour être belle, rétorqua-t-elle sèchement.

Je passai la nuit couchée sur le dos pour ne pas défaire les rouleaux ; naturellement je dormis fort mal et me réveillai de mauvaise humeur. J'étais sur des charbons ardents à la perspective de revoir notre mère et la moindre remarque, aussi anodine fût-elle, me paraissait dirigée contre moi.

– Mazette ! s'exclama grand-mère en m'enlevant les rouleaux et en me brossant les cheveux, tu m'as tout l'air d'une dame avec ces belles boucles !

Mais, à ce moment précis, je me sentais au contraire si vulnérable et fragile que je pris fort mal ce compliment. J'y répondis donc par une grimace peu aimable, de sorte que grand-mère acheva de me brosser les cheveux en silence. Elle ne dit pas un mot jusqu'au moment du départ.

– Alors comme ça, tu vas à l'église, hein ?

Je hochai vivement la tête.

– Cela fait longtemps que je n'y suis pas allée. Je vais peut-être venir avec vous, ajouta-t-elle.

Je jetai un coup d'œil à Paul qui venait d'entrer dans la pièce.

– On avait prévu de se retrouver avec quelques autres, mentis-je en m'efforçant de prendre un air naturel, aussi dégagé que possible.

Grand-mère se croisa les bras sur la poitrine et leva les sourcils.

– Dites-moi, vous deux, Marko ne vous accompagne pas ?

Je déglutis avec difficulté. J'étais aussi tendue qu'un élastique. Elle avait bien failli nous coincer cette fois.

– Il n'est pas prêt ? demanda Paul innocemment.

– Je ne pense pas qu'il vienne, dis-je. Ça ne lui disait trop rien d'aller à la messe.

– Vous avez peut-être raison, répondit grand-mère sans nous quitter des yeux.

Bien qu'elle semblât satisfaite de nos réponses, elle tint à nous regarder partir,

ce qui nous posa un nouveau problème : la route de
la grotte partait à droite et celle de l'église à
gauche. Naturellement, nous prîmes celle de
gauche, mais à peine nous étions-nous éloignés
de quelques pas que la voix de grand-mère nous figea sur place.

– Ne feriez-vous pas mieux de prendre à droite ? nous rappela-
t-elle avec douceur, avec autant de douceur qu'un chat las
d'avoir trop joué avec une souris.

18

LORSQUE NOUS ARRIVÂMES
ENFIN À LA GROTTE, ELLE ÉTAIT
DÉSERTE. NULLE TRACE QU'ELLE
EÛT JAMAIS ÉTÉ HABITÉE.

Nous nous sentîmes assez ridicules dans nos beaux habits du
dimanche, au milieu de cette grotte obscure et humide.

– Tu es sûre qu'il a bien dit dimanche ? demanda Paul avec
inquiétude.

– Tout à fait sûre.

– Bon... murmura mon petit frère, il a bien dit qu'il allait
essayer ; il n'a pas promis qu'elle viendrait.

CHAPITRE DIX-HUIT

– C'était une espèce de promesse quand même, insistai-je.

– Hum... fit Paul, luttant contre sa déception.

Nous ne dîmes plus rien, mais toutes les cinq minutes nous allions voir à l'entrée de la grotte. La journée, qui avait commencé dans la brume, était d'une limpidité cristalline. Les heures passèrent : dix heures, onze heures, midi... et toujours personne. Puis, lorsque la lumière vira au rose, nous décidâmes de ne pas attendre davantage. Notre mère ne viendrait plus et il fallait rentrer à la maison avant la nuit.

Nous nous mîmes en route sans un mot, traînant les pieds. La déception et l'amertume que nous ressentions d'avoir été oubliés, le besoin de trouver un endroit où panser tranquillement nos blessures, tout cela nous conduisit irrésistiblement en haut de la colline et non en bas, si bien que nous nous retrouvâmes sans le vouloir sur le sentier qui menait à la bergerie. Nous nous imaginions peut-être que le vieux berger apporterait une réponse, ou du moins un indice, au mystère de cette atroce journée. Et, à mesure que nous montions dans la colline pour déboucher enfin sur la lande, je me sentais moins oppressée et je finis par donner libre cours à ma colère.

Lorsque nous fûmes en vue de la bergerie du vieux Stammo, je m'étais calmée. Je proposai à Paul de faire demi-tour et de rentrer pendant qu'il faisait encore jour, mais il estima qu'au point où on en était on pouvait bien aller dire un petit bonjour au berger. Peut-être espérait-il encore trouver auprès de lui l'explication qui lui ferait passer l'amertume de cette pénible journée.

Parvenus à proximité de la cabane, nous nous mîmes à appeler Stammo, puis Zak, et de nouveau Stammo. Le silence était total. Nous poussâmes la porte et entrâmes. Il n'y avait personne, mais les cendres étaient encore chaudes. Une casserole de haricots à moitié cuits reposait à côté du feu, et les quelques hardes du berger étaient éparpillées dans toute la pièce. Les pots de yaourt étaient par terre, brisés sur les dalles de pierre, le tonneau de fromage avait été renversé, la saumure s'était répandue, formant une véritable flaque, et le fromage – il devait y en avoir près de cinquante kilos – avait été haché menu. Nous quittâmes la cabane, refermant la porte derrière nous.

Il y avait quelque chose de bizarre. Tout était si calme. Pas un bruit, pas même les bruits habituels du troupeau : une brebis qui bêle, une clochette qui tinte, le chien qui aboie.

Le chien ! Zak ! Où était Zak ? A cette heure, il aurait dû ramener les moutons dans l'enclos. Ils y étaient peut-être déjà et Stammo devait traire ses brebis.

L'enclos se trouvait derrière la cabane, en contrebas, invisible d'où nous étions. Sans nous concerter une seconde, nous courûmes vers l'enclos. Aucun signe d'activité ne nous parvint. C'est seulement en entrant

que nous découvrîmes Stammo. Le vieux berger gisait au milieu de ses bêtes, les bras en croix, ses grosses bottes pointées vers le ciel, la tête étrangement penchée sur l'épaule. Il avait été égorgé avec tous ses moutons; seul Zak semblait avoir échappé au massacre. Il était assis aux côtés de son maître et gémissait à fendre l'âme, tout en balayant lentement et tristement le sol de sa queue. Nous essayâmes de l'entraîner à notre suite en partant, mais il ne voulut pas bouger. Il avait l'air horriblement malheureux; on aurait dit qu'il pleurait son maître. Ce doit être horrible d'être abandonné ainsi !

19

NOUS NE RETOURNÂMES PLUS DANS LES COLLINES APRÈS LA MORT DE STAMMO. LE PAUVRE BERGER FUT ENTERRÉ DANS LE PETIT CIMETIÈRE, DERRIÈRE la maison de Notta l'herboriste, et le village entier vint lui rendre hommage. On aurait dit que tout le monde avait bien aimé le vieil homme, mais cela ne l'avait pas empêché d'être sauvagement assassiné. « Vous devez vous méfier de tout le monde. Voisins, amis... des gens que vous connaissez depuis toujours... » nous avait recommandé papa. Je regardai attentivement la foule recueillie venue au cimetière. Comment en arrivait-on à soupçonner quelqu'un ? C'était l'affaire des policiers. Eux aussi étaient venus à l'enterrement ; le chef de la police, accompagné de sa prétentieuse épouse et de son sale gosse. Seulement, ils n'étaient sûrement pas là pour pleurer le vieux Stammo ni pour faire leurs condoléances à la famille.

Personne ne sut que c'étaient Paul et moi qui avions découvert Stammo. Nous étions arrivés à la maison peu après le coucher du soleil, et grand-mère, qui nous guettait sur la route, s'apprêtait à nous passer un bon savon, lorsque nos mines défaites lui firent instantanément ravaler ses réprimandes. Elle nous ramena à la maison où elle écouta sans mot dire notre récit entrecoupé de sanglots.

– Vous avez eu de la chance, déclara-t-elle gravement. Si

l'assassin avait été encore dans les parages lorsque vous avez découvert Stammo...

Nous hochâmes la tête. A présent que nous étions en sécurité à la maison, nous mesurions le danger auquel nous venions d'échapper.

— J'aurais tant voulu que maman vienne, dit Paul d'une toute petite voix.

— Tu sais bien qu'elle serait venue si elle avait pu, non ? le consola grand-mère en lui caressant la joue.

Paul acquiesça en se mordant la lèvre. C'était encore un petit garçon à bien des égards.

Plus tard, lorsque nous fûmes dans nos chambres, prêts à nous coucher, nous posâmes à grand-mère la question qui nous brûlait les lèvres depuis le matin.

— Grand-mère... commençai-je.

— Oui, ma colombe ?

— Comment savais-tu où nous allions ce matin ?

Elle nous jeta un regard malicieux.

— Le fromage, pardi ! Vous n'aviez pas deviné ?

C'est alors seulement que je me rappelai le moment où, dans la grotte, le blessé nous avait demandé le fromage qu'Andreas nous avait rapporté quelques instants plus tard.

— Alors c'est dans le fromage qu'étaient transmis les messages ? m'exclamai-je.

– C'était astucieux, reconnut grand-mère. L'idée venait de Stammo. Voilà pourquoi il n'avait pas voulu descendre vivre au village après la mort de sa femme. Il est resté à la bergerie pour nous aider.

– Et quelqu'un l'a trahi.

– Oui, mes enfants... Quelqu'un l'a trahi. Mais Stammo a emporté ses secrets avec lui, vous pouvez en être sûrs.

– C'était un homme merveilleux, grand-mère.

– C'est vrai, mon garçon, c'est vrai...

Puis, avant de regagner nos lits, nous nous excusâmes auprès de grand-mère de lui avoir menti. A son tour, elle s'excusa de nous avoir fait courir un si grand danger, mais à l'époque elle n'avait pas assez confiance en nous pour nous dire toute la vérité.

– Les circonstances, dit-elle, rendent parfois les mensonges nécessaires, mais désormais il n'y aura plus de mensonges entre nous.

Elle nous souhaita bonne nuit et nous constatâmes avec plaisir qu'elle n'était plus fâchée.

20

LE MYSTÈRE DES POULES QUI
REFUSAIENT DE PONDRE FUT
ÉCLAIRCI UNE BONNE FOIS
POUR TOUTES LE PREMIER
AVRIL. LE PRINTEMPS ÉTAIT
arrivé et, enfants comme adultes, nous avions le diable au corps.
Les jours plus longs et plus chauds, l'air doux comme une
caresse, balayèrent toute trace de l'hiver. Nous nous sentîmes
soudain plus légers qu'une plume, plus vifs qu'une alouette, plus
affamés qu'un loup et débordant d'une énergie dont nous ne
savions que faire.

Notre grand-mère, qui déjà ne dormait guère, dormit encore
moins.

Le premier avril, elle se leva plus tôt que d'habitude : il faisait
nuit. Puisqu'il n'y avait rien qu'elle pût entreprendre de si
bonne heure sans risquer de réveiller toute la maisonnée, elle
décida d'aller faire un petit tour et en profita pour jeter un coup
d'œil au poulailler. Ritzo avait prétendu que ses poules
n'étaient pas en cause. Elles pondaient bel et bien, à son avis,
mais il devait arriver quelque chose aux œufs, c'est pourquoi

nous n'en avions jamais plus de quelques-uns, et certains jours aucun. Grand-mère décida de donner encore une chance aux volailles avant de les passer à la casserole.

Les volatiles dormaient encore sur leurs perchoirs. Grand-mère s'installa donc confortablement derrière la palissade du jardin et attendit le voleur d'œufs. Si personne ne pouvait voir grand-mère de la maison, elle en avait, en revanche, une vue globale à travers les planches disjointes. Elle n'attendait rien de ce côté-ci, mais on ne savait jamais. L'aube se leva et le verger, la mer et le ciel se retrouvèrent soudain baignés par les rayons du soleil, qui virèrent du gris au rouge, puis au rose. Une nouvelle journée commençait.

Grand-mère était perdue dans ses pensées lorsqu'elle entendit la porte de la maison s'ouvrir puis se refermer. Ce fut un son imperceptible, étouffé, et seul un vieux renard rusé comme grand-mère avait pu l'entendre. Elle crut tout d'abord que c'était tante Hercule qui se levait mais, en appliquant son œil entre deux planches, elle découvrit Marko qui se dirigeait vers le poulailler. Curieuse de savoir ce qui pouvait bien le tirer du lit de si bonne heure, elle ne l'appela point et resta à l'observer. Marko avait l'air le plus insouciant du monde mais, arrivé à la porte du poulailler, il jeta néanmoins un coup d'œil derrière lui, comme pour s'assurer qu'il était bien seul. Puis il entrebâilla la porte, se glissa à l'intérieur et referma la porte derrière lui.

Grand-mère n'en croyait pas ses yeux. Que pouvait bien tra-

fiquer Marko ? Alors, les unes après les autres, les poules commencèrent à sortir. Elles battirent des ailes, tendirent le cou en avant et se pavanèrent comme toutes les volailles ont coutume de le faire. Après quoi, elles se mirent à caqueter. Une d'abord, puis une deuxième, une troisième, et enfin toutes ensemble. C'est à ce moment que grand-mère découvrit pourquoi, malgré l'excellente qualité du grain qu'elle donnait à ses poules, nous n'avions presque jamais d'œufs : Marko suivait les poules à la trace et ramassait leurs œufs au fur et à mesure qu'elles les pondaient. Lorsqu'il en eut ramassé plus que ne pouvaient en contenir ses deux mains, il se dirigea vers le grand eucalyptus, à l'autre bout du jardin.

Grand-mère quitta alors sa cachette, suivit Marko à une certaine distance et le vit de ses propres yeux, adossé au tronc du gros arbre, entamer d'un air béat son petit déjeuner. Après avoir fait un petit trou dans la coquille, il portait l'œuf à ses lèvres et le gobait. Lorsqu'il eut renouvelé l'opération avec tous les œufs de sa récolte matinale, il enfouit les coquilles vides dans un trou qu'il creusa avec la pelle dont il s'était muni. Il avait presque effacé la preuve de son forfait lorsque grand-mère, outrée par une telle impudence, fondit sur lui en hurlant comme une furie.

Marko était paralysé... cloué sur place. Le saisissant par les cheveux, grand-mère cassa une branche d'eucalyptus qu'elle effeuilla précipitamment et en fouetta tant et plus les fesses de l'infortuné Marko, insensible à ses cris, ses lamentations, ses prières et ses promesses de ne plus jamais recommencer.

Notre vorace cousin fut ramené à la maison où il reçut une seconde correction, de sa mère cette fois.

– Que Dieu me damne si je ne te mets pas au pain sec et à l'eau à partir d'aujourd'hui ! haleta-t-elle, éreintée d'avoir eu à maintenir fermement Marko pour le fesser. Tu n'es qu'un petit voleur et tu seras traité comme tel !

Et elle avait bien l'intention de tenir parole. Marko aurait jeûné à Pâques si grand-mère n'avait pas eu pitié de lui et persuadé tante Hercule de rompre son serment.

La semaine sainte arriva. Le jeudi saint, nous allâmes communier, avec Marko qui nous suivit à contre-cœur. Les gens étaient si nombreux à vouloir communier ce jour-là que la queue se prolongeait sur la place et faisait le tour de l'église. Enfin Paul communia, puis ce fut mon

tour et… et la voix de Marko retentit aigrelette et sonore dans l'église recueillie. Marko se trouvait juste devant le pope Michel mais, au lieu d'ouvrir la bouche pour recevoir l'hostie, il désigna d'un doigt menaçant l'icône représentant le Seigneur en train de bénir les petits enfants.

– Espèce d'hypocrite ! s'écria-t-il à l'adresse de l'icône. C'est toi qui m'as trahi !… Espèce de… espèce de… communiste !

Le silence qui suivit était absolu. On aurait entendu une mouche voler, mais ça ne devait pas durer : à peine les gens se furent-ils remis de leur stupéfaction qu'une vive clameur s'éleva et bientôt tout le monde pleura ; ils pleuraient non de compassion pour les souffrances du Christ, mais de rire. Jamais au grand jamais une telle chose ne s'était produite dans notre petite église ; personne ne pouvait s'arrêter de rire. Marko se serait enfui à toutes  jambes si Paul et moi ne l'avions retenu et forcé à ouvrir la bouche pour communier, en lui tordant les bras dans le dos. Mais nous ne pouvions le forcer à avaler l'hostie, de sorte qu'aussitôt sorti de l'église il nous montra encore une fois ce qu'il pensait de Jésus en recrachant par terre et le corps et le sang de Notre Seigneur Jésus-Christ !

21

LE VENDREDI SAINT, NOUS
SUIVÎMES LA PROCESSION QUI
TRAVERSA LE VILLAGE, LONGEA LE
BORD DE MER ET SE TERMINA À
l'église. Marko refusa de nous accompagner, arguant qu'il en
avait assez de Jésus, outre le fait qu'il ne lui avait toujours pas
pardonné sa trahison. Marko était encore persuadé que c'était
Jésus qui avait indiqué à grand-mère le poulailler où, ce funeste
matin, elle l'avait surpris en flagrant délit de rapine. Quant à
nous, nous n'aurions manqué la procession pour rien au monde.
C'était splendide, magique. Le long défilé qui serpentait dans
les ruelles du village, le bourdonnement des voix, le parfum des
fleurs qui recouvraient le « corps » du Christ exposé dans son
cercueil, mêlé à l'odeur des centaines de cierges jaunes, la lita-
nie monotone du prêtre et les répons sonores des enfants de
chœur, parmi lesquels, tenez-vous bien, se trouvait Aristo !

Une fois le cercueil de nouveau en sécurité dans l'église, nous
rentrâmes à la maison, laissant grand-mère et tante Hercule
écouter le dernier prêche. Elles n'étaient pas particulièrement
dévotes, mais leurs vies étaient si dures que la semaine sainte
était comme un arc-en-ciel dans la grisaille de leur quotidien.

Enfin le dimanche de Pâques arriva et nous nous ruâmes sur le panier d'œufs peints, hormis Marko. On aurait dit qu'il fuyait les œufs depuis quelque temps. Puis, lorsque grand-mère eut la certitude que tous les œufs durs que nous venions d'ingurgiter ne nous avaient pas rendus malades, elle nous donna les autres œufs de Pâques, remplis de bonbons. Malgré l'opposition de sa mère, Marko en reçut lui aussi. Tante Hercule estimait qu'il ne le méritait pas, mais grand-mère pensait que Marko avait compris la leçon ; il avait promis de ne plus jamais se montrer égoïste à l'avenir.

Nous passâmes l'essentiel de la matinée dans la cour en compagnie d'Aki, à jouer avec lui, à chanter et à danser pour le distraire. Il adorait me voir danser. De tout ce que nous faisions pour l'amuser, c'était me regarder danser qu'il préférait. Tandis que j'exécutais des sauts, des tourbillons, des pirouettes en tous sens, il m'encourageait en frappant maladroitement ses pauvres petites mains molles l'une contre l'autre ; ses yeux brillaient, le sang affluait à ses joues et, l'espace de quelques instants, il eut l'air parfaitement normal.

Puis Aki finit par s'endormir et, ne sachant plus que faire, nous décidâmes de battre le rappel de la bande et de nous retrouver sur la place. La plupart de nos amis étaient chez eux ;

ils furent ravis de se joindre à nous. Une fois retombée l'excitation de la fête, le dimanche de Pâques était un jour assez morne et toute proposition était accueillie par des cris de joie. Or, nous n'étions pas arrivés depuis cinq minutes que le Jeune Cyclope et ses Guerriers firent irruption sur la place. Nous étions occupés à nous jauger de loin les uns les autres, face à face, lorsque Aristo s'écria :

– Eh ! toi !

C'est à moi qu'il s'adressait. Je me retournai, faisant mine de chercher derrière moi un hypothétique interlocuteur.

– Y'a personne, Aristo, dis-je.

– C'est à toi que je cause, Antigone Laskari.

– Ah bon ? A moi ? Et que puis-je faire pour toi, mon chou ? C'était un régal de le voir rougir.

– Viens un peu ici ! ordonna-t-il.

– Va te faire voir, Aristo ! rétorquai-je. Je n'ai d'ordre à recevoir de personne… et encore moins d'un fasciste comme toi.

– Sale communiste ! rugit-il.

Il cherchait vraiment la bagarre.

CHAPITRE VINGT ET UN

– C'est pas une bouche que t'as, c'est une bouche d'égout !

– Tout ce qui en sort est encore trop propre pour toi !

– Attention qu'elle ne te morde pas l'autre jambe, cria Gina avec perfidie.

Aristo fulminait ; on aurait dit que ses yeux lançaient des flèches empoisonnées.

– Attendez… on finira bien par vous avoir, et on vous exterminera tous, sales vermines !

– Oui, c'est ça, comme le vieux Stammo, lançai-je en douceur.

Puis, brusquement, ce qui était enfoui au fond de moi depuis la mort du vieux berger resurgit.

Je fonçai sur Aristo ; ma main décrivit un large arc de cercle et retomba avec violence sur sa joue droite, lui faisant perdre l'équilibre. Il se ressaisit assez rapidement, mais un filet de sang lui coulait du nez, sur les lèvres, le menton et le revers de sa belle veste blanche.

– Tu me le paieras ! Vous allez tous me le payer, salauds de rouges ! hurla-t-il d'une voix suraiguë.

Je devais faire vite : grand-mère m'avait interdit de me battre à nouveau avec Aristo, et je lui avais désobéi.

– Ecoute, dis-je à Aristo, que dirais-tu d'une bataille de cerfs-volants... rien que nous deux ?

S'il était aussi vaniteux qu'on le prétendait... Il rejeta la tête en arrière et éclata de rire.

– Avec toi ? Une fille ? Une bataille de cerfs-volants ? Quand tu voudras !

Non seulement il avait mordu à l'hameçon, mais il l'avait avalé tout rond, ainsi que la ligne et le plomb par-dessus le marché.

– Parfait, répondis-je, comme si de rien n'était. Est-ce que demain te conviendrait ?

– Ça me va, répondit-il, hilare. Mais après-demain tu regretteras le jour où tu es née !

– Le plus gros tambour du monde ne contient que du vent, repartis-je d'un ton mielleux, ravie de voir l'angoisse se peindre sur les sales bobines des petits voyous d'Aristo.

Manifestement, ils savaient quelque chose que leur chef ignorait et, eussent-ils voulu le mettre au courant, il est probable qu'il aurait refusé de les écouter.

– Bon, dit George, l'un des jumeaux de Ritzo, si tu parviens à enlever le cerf-volant d'Aristo...

– Il n'y a que ça à faire, répondis-je, mais devant tout le village, il nous en voudra à mort !

– Nous avons Paul, fit Loulou de sa petite voix flûtée.

Avec son visage angélique, ses grands yeux et ses belles

boucles brunes, Paul n'en était pas moins un excellent tireur. Personne ne l'égalait au lancer de pierres du bras gauche.

– Oui, dis-je, Aristo l'ignore peut-être, mais certainement pas ses Guerriers, et ils prendront la poudre d'escampette.

Je regardai mon frère.

– Si cela se termine en bagarre, tu vas te retrouver en première ligne, tu le sais, n'est-ce pas ?

– Ne t'inquiète pas pour moi, du moment qu'on m'approvisionne en munitions...

– Quel cerf-volant vas-tu prendre ? demanda l'autre jumeau.

– L'Alouette, décidai-je.

– Tu sais, dit Louka en éclatant de rire, j'ai presque de la peine pour Aristo quand je pense qu'il ne sait pas ce qui l'attend !

– Garde tes larmes pour quelqu'un d'autre, répliqua Gina. Si Andi parvient effectivement à lui enlever son cerf-volant, il va essayer de nous écharper avec sa bande.

– Je leur aurai fracassé le crâne avant, rétorqua Paul.

– Souviens-toi du vieux Stammo, lui chuchotai-je à l'oreille.

Un frisson le parcourut de la tête aux pieds. Paul ne dit presque plus rien après cette réflexion, et je regrettai un peu de lui avoir rappelé cet épisode tragique.

Paul et moi avions toutes sortes de cerfs-volants, mais le meilleur était assurément l'Alouette. Il était en papier journal doublé de morceaux de gaze, dans laquelle grand-mère mettait les fromages frais à égoutter. C'est ainsi que notre père nous avait appris à les fabriquer et nous n'avions jamais changé de méthode. Nos cerfs-volants étaient solides et particulièrement bien équilibrés ; de plus, au risque de passer pour une prétentieuse, je dirais que personne n'était capable d'en fabriquer d'aussi résistants que les nôtres. A ce jeu, j'étais imbattable. Pour être bon, peu importe que l'on soit une fille ou un garçon, ce qu'il faut avant tout ce sont des bras puissants, de la rapidité et savoir comment faire lâcher la ficelle à son adversaire, car c'est ainsi que l'on peut lui arracher son cerf-volant. Voilà quelle serait ma tâche demain : faire lâcher la ficelle à Aristo et lui prendre son cerf-volant. Ça a l'air tout simple, non ?

22

LE LUNDI DE PÂQUES S'ANNONÇAIT COMME UNE DÉLICIEUSE JOURNÉE : LE CIEL ÉTAIT DÉGAGÉ ET UNE douce brise soufflait. Nous arrivâmes les premiers sur la place. A peine avais-je défait mon cerf-volant qu'il s'éleva dans les airs, entraînant à sa suite une queue longue d'une vingtaine de mètres.

L'annonce du tournoi s'était répandue comme une traînée de poudre à travers le village, et les gens avaient pris place sur le pas de leurs portes pour assister au spectacle. Ils m'avaient déjà vue faire évoluer mon cerf-volant, mais cette fois c'était différent : les « orphelins » de Cassandre et d'Antoine avaient défié à une bataille de cerfs-volants le fils de l'homme le plus puissant et le plus dangereux du village, et pour rien au monde ils n'auraient voulu manquer ça.

Je levai les yeux vers l'Alouette : tout allait bien. La ficelle était parfaitement tendue ; il ne risquait pas de retomber faute d'une queue trop courte. Dans l'ensemble, l'Alouette se comportait de manière satisfaisante. Je l'avais déjà bien en main lorsque Aristo déboucha sur la place, suivi de ses voyous. Il lança à son tour son cerf-volant : un splendide appareil rouge, jaune et bleu, mais je compris très vite que, tout impressionnant qu'il fût, ce n'était pas un cerf-volant de compétition : il n'avait pas une queue assez longue. Bref, l'Athénien ne représentait pas une menace sérieuse pour mon Alouette. En effet, son cerf-volant répondait mal à ses ordres et, pendant un moment, j'ai bien cru qu'il allait piquer droit vers le sol.

– Hé, Aristo ! cria quelqu'un, fais attention qu'elle ne t'enlève pas ton cerf-volant !

– On verra ça... maugréa Aristo aux prises avec sa ficelle.

Lorsque le véritable combat commença, il tourna dès le début en ma faveur. La ficelle d'Aristo fit sac, puis elle se tendit démesurément, menaçant à chaque instant de faire redescendre le cerf-volant en vrille. Cela ne me surprit guère ; la queue de ce cerf-volant était décidément trop courte. Pendant ce temps, au bout de sa ficelle impeccablement tendue, l'Alouette se dressait fièrement, immobile tel un astre, et il me restait encore en main vingt-cinq mètres de fil.

– Bravo ! s'exclamèrent les spectateurs. Bravo, Andi ! Autant lui donner ton cerf-volant tout de suite, Aristo, de toute façon elle va te le prendre !

Je ne me tenais plus de joie. C'était maintenant ou jamais.

– Aristo ! m'écriai-je. Tu es prêt ?

– Va au diable !

J'amorçai ma manœuvre d'attaque rapprochée et tendis mon piège. Aristo, qui s'y connaissait aussi peu en cerfs-volants que dans d'autres domaines, tomba dans le panneau. Je ne perdis pas une seconde à me placer sur sa ficelle, le contraignant à m'« écraser ». Ajoutant du poids sur son cerf-volant qui en avait déjà trop, Aristo se mit à tirer sur la ficelle, sans s'apercevoir que la mienne était extrêmement tendue. Chaque fois qu'il tirait, je donnais du mou. Puis il tira encore plus énergiquement et nos deux cerfs-volants s'accrochèrent. C'est alors que je commençai à laisser filer mon cerf-volant et, au moment où celui d'Aristo le rejoignit, je me mis à l'agiter de droite et de gauche, d'avant en arrière.

– Tirez! criai-je à la cantonade. Tirez fort avant qu'il ne déroule tout!

Aristo comprit trop tard ce qui allait se passer. L'Alouette avait pris à la gorge le fier Athénien. La foule était déchaînée.

– Andi t'a bien eu! Tu t'es fait avoir!

A l'insu de tous, deux des petits voyous d'Aristo avaient sorti des couteaux, prêts à trancher la ficelle de l'Alouette dès que mon cerf-volant redescendrait. Mais c'était compter sans Paul. Choisissant des pierres à peine plus grosses que des noix, il visa entre les deux yeux et repoussa les agresseurs.

– Tirez! criai-je à nouveau. Mais tirez donc! Ho hisse!

Et tout le monde s'y mit; même le petit Aleko dont le pantalon glissait jusqu'à terre chaque fois qu'il sautait pour attraper la ficelle.

Et puis brusquement ce fut la catastrophe! Les deux cerfs-volants fondirent sur nous comme des boulets, arrachant au passage la moitié des tuiles du toit de l'église. La ficelle de l'Athénien se rompit et cerfs-volants, ficelles et queues nous tombèrent dessus pêle-mêle.

– Attention ! s'écria quelqu'un. Attention, Andi, ils rappliquent avec des crans d'arrêt !

Je m'attendais bien à ce qu'il y ait de la bagarre, mais je ne pensais pas qu'ils nous pourchasseraient avec des couteaux. Je confiai précipitamment les cerfs-volants aux jumeaux en leur criant de déguerpir au plus vite. Puis je rejoignis les autres pour les aider à amasser des munitions. En reculant, en reculant toujours davantage, nous ramassâmes tous les cailloux de la rue et en fîmes une petite pyramide pour que Paul puisse couvrir notre retraite. Régulièrement approvisionné, il réussit à fracasser un bon nombre de têtes ennemies au cours des cinq premières minutes. Mais ils avançaient toujours, le visage en sang, fermement décidés à marquer d'un coup de couteau quelques-uns d'entre nous.

Au bout d'un certain temps, grâce à l'exceptionnelle adresse de Paul, ils finirent par se replier, et il y eut bientôt une assez grande distance entre nous. Nous continuâmes néanmoins à reculer en accumulant des munitions, jusqu'à ce que nous trouvions juste derrière nous la porte de la maison. L'Athénien m'y attendait. Je le montai dans la chambre et l'accrochai au mur, au-dessus du lit. Grand-mère était très fâchée que j'aie manqué à ma parole de ne plus me battre avec Aristo. Elle essaya même de me faire rapporter l'Athénien.

– C'est impossible, grand-mère. Ce fut un combat loyal et c'est moi qui ai gagné. Le cerf-volant m'appartient.

– Je continue à penser que tu devrais le rendre.

– Pas question ! répliquai-je avec arrogance.

– Je ne sais pas ce qui t'arrive, répondit-elle contrariée, mais tu as un sale caractère depuis quelque temps.

Je ramenai les couvertures par-dessus ma tête et me mordis les lèvres pour ne pas pleurer. Pourquoi les bonnes journées doivent-elles toujours mal se terminer ?

23

VOUS SAVEZ QU'IL ARRIVE PARFOIS QUE L'ON « VOIE » QUELQUE CHOSE QUI N'EXISTE PAS EN RÉALITÉ.

Eh bien, c'est ce qui se produisit la nuit qui suivit la bataille de cerfs-volants.

Epuisée par cette longue journée et courbatue d'avoir tant tiré sur la ficelle, je m'endormis très vite. J'ignore quelle heure il était et combien de temps j'avais dormi, quand je « vis » quelqu'un auprès de mon lit.

– Grand-mère... murmurai-je en tendant la main vers elle.

Mais je ne rencontrai que le drap froid et vide. Je roulai sur le dos et, replongeant dans le sommeil, je rêvai que ma mère, penchée sur moi, me caressait les cheveux et me bordait. Elle était en tenue de partisan, avec la croix rouge cousue sur les revers et les épaulettes de sa vareuse. Ses longs cheveux étaient noués sur la nuque, dégageant bien son visage ; ses yeux, les mêmes que ceux de Paul, étaient doux et sereins ; ses lèvres étaient entrouvertes, comme si elle était sur le point de dire quelque chose.

– Maman, chuchotai-je en essayant de toutes mes forces d'ouvrir les yeux.

– Andi, ma chérie, ma petite fille adorée.

– Oh, maman !... sanglotai-je, nous t'avons attendue si longtemps et tu n'es pas venue. Oh, maman, nous étions si malheureux...

– Chut... ma chérie. Je suis là maintenant.

– Reste avec nous, maman. Dis que tu vas rester, s'il te plaît, maman.

Alors elle eut l'air très triste et une seconde plus tard elle avait disparu. Je me réveillai en sursaut et me mis à crier.

Grand-mère, qui était en bas, accourut et me prit dans ses bras ; elle me berça comme un bébé tandis que je pleurais toutes les larmes de mon corps.

Je tombai malade après cet incident. Enfin, pas vraiment malade, car je n'avais pas de fièvre ni rien de sérieux, mais grand-mère décida que je ferais mieux de rester quelques jours à la maison. Paul et Marko me tenaient régulièrement au courant de ce qui se passait à l'extérieur.

– Le Jeune Cyclope est d'une humeur exécrable, m'annonça un jour Paul. Il a juré de se venger de la perte de son cerf-volant.

– Mais je l'ai gagné dans un combat loyal.

– Il ignore ce que signifie « loyal », remarqua gravement Marko.

– Tu as raison, répondis-je, mais que peut-il faire de toute façon ? Il aura oublié cette histoire dès qu'on aura repris l'école.

– Je crois que les gens comme Aristo n'oublient jamais rien, dit Paul posément tandis que dans ses beaux yeux brillait une lueur d'inquiétude. Il n'arrête pas de nous tourner autour avec sa bande. J'ai l'impression qu'il nous cherche.

Marko trouvait tout cela très amusant. Rugissant comme un fauve, il se précipita sur Paul et le jeta par terre. Mais Paul n'avait pas la tête à plaisanter.

– Arrête, je t'en prie ! cria-t-il en repoussant Marko.

– Bon, ça va, ça va... rétorqua Marko, boudeur.

Je glissai mes doigts dans les cheveux bouclés de mon frère.

– Ne t'inquiète pas, mon ange, lui dis-je, m'apercevant au même instant que je parlais comme maman dans mon rêve. Il n'osera jamais te toucher ; il sait trop bien qu'il aurait affaire à moi.

– Et si tu n'es pas là, qu'est-ce qui se passera ? répliqua tout bas Paul.

Je ne répondis pas à sa question et les deux garçons partirent. J'étais à la fois soulagée et inquiète, mais heureuse de me retrouver seule. Mon Dieu, ce qu'ils pouvaient me déprimer en ce moment !

24

UN BEAU JOUR, TANTE DINA DÉCIDA DE VENIR PASSER QUELQUE TEMPS CHEZ NOUS AVEC SES ENFANTS, MAIS JE NE LES VIS PAS BEAUCOUP : JE préférais le plus souvent rester toute seule et j'avais le plus grand mal à regarder tante Dina sans me sentir horriblement triste. Elle ressemblait tellement à maman que j'en avais mal à la tête. Alors grand-mère devait me mettre au lit avec des compresses froides sur le front, et parfois elle restait avec moi jusqu'à ce que je m'endorme.

Un jour qu'elle était redescendue, je les entendis parler de moi.

— Tu es en train de gâter cette gamine, déclara tante Dina. Elle passe son temps enfermée dans sa chambre, plantée sur une chaise. Qu'elle ouvre au moins ses livres de classe ! Elle devrait être en train de réviser à l'heure qu'il est, avec ses examens dans quelques semaines.

Et c'est alors qu'elle ajouta quelque chose qui me fit tendre l'oreille.

— Non que cela lui soit de quelque utilité ; ils la recaleront, même si elle travaille correctement.

— Ne dis pas ça, protesta grand-mère. Pour le jury d'examen, ce n'est qu'une enfant comme les autres...

— Eh bien, je vois que tu ne sais pas comment cela se passe, maman, insista tante Dina.

— Il faut toujours espérer, conclut ma merveilleuse grand-mère.

— C'est vrai, ça ne coûte rien, railla tante Dina, mais, moi je te dis qu'elle n'a pas une seule chance et que tout ça c'est la faute de Cassie qui s'est laissé tourner la tête par ces idées communistes.

— J'oubliais que tu es bien placée pour le savoir, persifla tante Hercule.

Pour ma part, je fis des vœux pour qu'il arrivât quelque chose d'horrible à tante Dina.

25

ET IL ARRIVA EFFECTIVEMENT QUELQUE CHOSE D'HORRIBLE À TANTE DINA. PEU APRÈS QU'ELLE EUT LAISSÉ ONCLE TASSO seul à Athènes, il s'était rendu comme chaque soir au Café Rosita, juste à côté de chez lui, pour y boire son verre d'ouzo. Il y était resté comme d'habitude jusqu'à dix heures puis avait commandé un dernier verre et s'était acheté un paquet de cigarettes avant de rentrer chez lui. Il se trouvait à une cinquantaine de mètres de sa maison lorsque quelqu'un lui sauta dessus et lui planta un couteau dans le dos. On dirait bien que l'armée est incapable de veiller sur les siens vingt-quatre heures sur vingt-quatre.

Je n'avais jamais aimé oncle Tasso ; il s'était toujours montré hypocrite, avec son petit sourire en coin, mais sa mort ne me réjouit pas particulièrement. On aurait peut-être pu être amis s'il n'y avait pas eu la guerre.

Nous apprîmes donc à connaître un peu mieux nos cousins d'Athènes puisqu'ils restèrent chez nous après la mort de leur père. Nous aimions bien les plus jeunes : Mano, Théodore et le petit Niko, qui n'avait que quatre ans, mais nous n'aimions guère Mitso, l'aîné. C'était tout le portrait de son père, physiquement et moralement. Ainsi, chaque fois qu'il entrait dans une pièce, il scrutait d'un œil inquisiteur choses et gens, et ne perdait rien de ce qui se disait, que ce soit à la maison ou au-dehors. Croyez-moi, il nous tapait sur les nerfs à tous trois, Paul, Marko et moi.

Et quel caractère ! Un jour, il me demanda la permission de faire voler l'Alouette. Je lui répondis que je ne prêtais jamais l'Alouette, pas même à Paul ou à Marko, mais que je pouvais lui apprendre à fabriquer un cerf-volant. Eh bien, il devint blanc comme un linge, se raidit comme s'il allait recevoir un coup de poing, puis s'écria que les communistes étaient censés tout partager et qu'il les détestait parce qu'ils avaient tué son père et qu'on allait voir ce qu'on allait voir et… Il continua à vociférer pendant un bon moment mais je le laissai et montai dans ma chambre. Je compris alors que nous avions dans la maison une véritable bombe à retardement.

Je racontai à Paul et à Marko ce qui s'était passé et nous essayâmes tous trois d'en parler à grand-mère, mais elle nous dit de ne pas être stupides : Mitso n'avait que dix ans, le même âge que Paul ; c'était dur pour un petit garçon de perdre son père brutalement et l'on devait être gentils avec lui.

Nos cousins allèrent à la même école que nous lorsqu'elle rouvrit ses portes, sauf le petit Niko, trop jeune encore. Il trouva néanmoins en Aki un compagnon de jeu idéal et pendant quelque temps tout se passa pour le mieux.

Et puis, un jour, je surpris Mitso en compagnie d'Aristo. Je suppose que c'était inévitable : ils étaient du même camp, mais je me sentis blessée de voir quelqu'un de ma famille être ami avec Aristo. Alors je l'appelai.

– Qu'est-ce que tu me veux ? me lança-t-il.

– Ecoute, Mitso, dis-je en essayant de garder mon calme, tu es le bienvenu dans notre bande, si tu le désires. Et tu n'as aucun besoin de traîner avec eux, ajoutai-je en désignant du menton Aristo et ses affreux amis. Ils ne sont pas fréquentables.

– Qui est-ce qui le dit ?

– Moi.

– Eh bien, je ne suis pas d'accord avec toi, Andi. Aristo est mon ami et je lui parlerai autant que je voudrai. C'est un

monarchiste, comme mon père, pas un traître de communiste comme toi et les autres à la maison. Je vous déteste tous et...

– Détester… c'est tout ce que tu sais faire… l'interrompis-je, écœurée par sa réaction.

– Attends un peu que ton père se fasse prendre ! répondit-il.

26

 CE FUT UN PRINTEMPS SUPERBE. LES HIRONDELLES REVINRENT BATIR LEURS NIDS SOUS LE TOIT, LA MER SE TRANSFORMA EN UNE VASTE DALLE DE MARBRE BLEU POLI. LES nuages gris avaient déserté les collines. Des fleurs de toute sorte avaient éclos dans les champs, les pêchers et les cerisiers étaient en fleurs et sur les amandiers, de minuscules fruits verts, doux et veloutés, pointaient entre les feuilles. Les tortues traversaient paisiblement le verger, telles de grosses pierres sur pattes ; les lézards se faufilaient dans les anfractuosités des murs ; même la vipère, qui se chauffait au soleil entourée de ses petits, avait l'air gentil. La vie renaissait en tout être, bon ou méchant, beau ou laid. Qu'il était agréable de voir que la guerre n'avait pas empêché le printemps de revenir !

Moi-même je me sentais en pleine forme, débordante d'énergie. Je décidai d'ignorer les propos de tante Dina à mon sujet, et

je travaillai comme jamais en vue des examens. Rentrant directement à la maison après l'école, je me coupais un morceau de pain, le trempais dans l'huile et le mangeais en travaillant. En gros, la vie était à nouveau assez belle et l'avenir souriant. Tante Dina et ses fils s'étaient peu à peu faits à notre manière de vivre et semblaient nous détester un peu moins. Nous ne parlions guère, et tant que nous gardions nos distances tout allait bien entre nous. Tante Dina avait joint ses forces à celles de tante Hercule, et toutes deux avaient décidé de nous faire marcher à la baguette.

C'était normal pour Marko et nos cousins d'Athènes, puisque leurs mères avaient parfaitement le droit de les faire obéir, mais Paul et moi-même eûmes du mal à le supporter. Avant, lorsqu'il n'y avait que tante Hercule, cela allait à peu près, mais à présent il y avait deux mères auxquelles obéir, dont aucune n'était la nôtre.

En rentrant de l'école, un après-midi, nous découvrîmes une bicyclette jaune appuyée contre le mur de la maison. Nous restâmes un bon moment à la contempler et à parier sur l'identité de son propriétaire. Il

n'y avait pas beaucoup de bicyclettes au village et certainement pas une aussi belle que celle-ci. Dans la cour, il n'y avait que le petit Niko et Aki, qui ne semblaient guère troublés par quelque événement inhabituel.

– Quelqu'un est venu, hein ? demanda Mitso à son petit frère.

– Ils sont en haut, répondit Niko avant de retourner jouer avec Aki.

Nous levâmes les yeux vers le premier étage. La fenêtre de la sala était ouverte et les éclats de rire de tante Dina et de tante Hercule nous parvenaient. Puis un autre rire fusa, plus grave et plus sonore cette fois. Nous n'avions jamais entendu cette voix. Jetant nos cartables en tas, nous grimpâmes sur le mur où nous nous assîmes en rang d'oignons, comme des hirondelles sur un fil électrique, l'oreille tendue, guettant le moindre son en provenance de la sala.

Au bout d'un moment qui nous parut une éternité, la porte d'en haut s'ouvrit et grand-mère sortit de la pièce, suivie de près par un homme grand et maigre, ni vieux ni jeune, aux yeux noirs pétillants et arborant une énorme moustache jaune paille. Derrière eux venaient nos deux tantes qui gloussaient comme des collégiennes malgré leurs efforts pour garder leur sérieux. Ils allèrent s'asseoir sous la treille tandis que tante Dina apportait une bouteille d'ouzo et quatre verres. Une sorte de petit discours fut prononcé, puis ils levèrent leurs verres à la santé et au bonheur de quelqu'un. Ensuite tante Hercule, toute rouge, se précipita vers la maison en disant qu'elle allait préparer du café. Personne ne faisait attention à nous.

Après le café, ils parlèrent de choses et d'autres ; surtout de la guerre et du coût de la vie ; puis l'homme maigre se leva pour partir. Alors seulement il nous jeta un regard, plus précisément à Marko, et avant de franchir le portail il tapota gentiment la tête d'Aki, un peu comme s'il s'était agi d'un petit chien. Nous attendîmes qu'il soit sorti et nous dégringolâmes du mur pour nous ruer à sa suite sur la route, avant que grand-mère n'ait eu le temps de refermer la porte.

Nous l'aperçûmes juste avant qu'il tourne le coin de la rue. Il pédalait sans tenir le guidon, balançant le buste au rythme de ses coups de pédales, désinvolte, sifflotant une rengaine à la mode, avec cette assurance quelque peu arrogante de la jeunesse athénienne.

– Grand-mère, demandai-je une fois couchée, qui était le monsieur de cet après-midi ?

Grand-mère ferma son livre et se tourna vers moi.

– Il va peut-être épouser ta tante Hara, dit-elle avec une lueur malicieuse dans les yeux.

– Oh ! m'exclamai-je sous le coup de la surprise. Oh, grand-mère, c'est chouette ! Mais tu en es sûre ? Il est gentil ?

– Je l'espère. En tout cas, il semble décidé à prendre aussi les garçons et à s'occuper d'eux comme un père, ce qui est rare. Ta tante l'avait prévenu dès le départ que c'était cela ou rien.

– Tu crois qu'il est aussi insouciant que tante Hercule ?

Grand-mère fit mine d'être fâchée par ma question, mais c'était par pur principe ; tante Hercule était sa fille, après tout.

– Ta tante n'est pas insouciante, Andi. Elle… elle… eh bien, disons qu'elle ne se laisse pas abattre par les événements, voilà.

– Et Marko, il est au courant ?

– Je ne pense pas. C'est encore un peu tôt.

– Qu'est-ce qu'elle va lui dire ?

– Je n'en sais rien, Andi. Mais elle trouvera les mots qu'il faut sur le moment.

– Marko devra l'appeler papa ?

– Je suppose.

– Pauvre Marko.

Je frémis en songeant à tout ce que j'avais lu et entendu dire sur les beaux-parents.

– Pourquoi « pauvre Marko » ? s'étonna grand-mère. Ça va lui faire du bien d'avoir un père. Il a besoin d'un homme auprès de lui.

– Quand est-ce qu'ils vont se marier ?

– Pas immédiatement, en tout cas. Ce ne serait pas convenable vis-à-vis de tante Dina.

Grand-mère se replongea dans sa lecture, et je me blottis contre elle, dans la chaleur réconfortante de son large dos qui

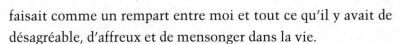
faisait comme un rempart entre moi et tout ce qu'il y avait de désagréable, d'affreux et de mensonger dans la vie.

– Bonne nuit, grand-mère, murmurai-je.

– Bonne nuit, Andi.

– Grand-mère...

– Oui ?

– J'espère que tante Hercule, Marko et Aki seront heureux avec le monsieur d'aujourd'hui.

– Moi aussi, ma douce.

– Bonne nuit, grand-mère.

– Bonne nuit, ma fille.

27

UN SOIR, COMME J'ÉTAIS EN TRAIN DE FAIRE MES DEVOIRS AU PREMIER ÉTAGE, ON FRAPPA AU POR-TAIL DE LA COUR. C'ÉTAIT  un petit coup, discret, assez fort pour être entendu mais pas assez pour attirer inopportunément l'attention. Je m'approchai de la fenêtre qui donnait sur la route et, à la lueur du lampadaire, je reconnus l'instituteur.

Mitso alla lui ouvrir. Je ne tardai pas à les entendre tous discuter et rire : tante Dina de demander comment se comportaient ses fils en classe et l'instituteur de répondre, d'une voix trop forte et trop gaie, que tout se passait bien ; ils étaient très gentils et elle pouvait être fière de ses enfants. Tante Dina se mit alors à pleurnicher, se lamentant sur les difficultés qu'il y avait à élever toute seule quatre garçons. L'instituteur reconnut que

c'était bien triste, mais que nous vivions une bien triste époque aussi. Au bout d'un moment passé à converser, l'instituteur souhaita bonne nuit à tout le monde et grand-mère le raccompagna

jusqu'au portail. Je le vis alors glisser dans la main de grand-mère quelque chose qu'elle s'empressa de faire disparaître dans la poche de son tablier en refermant le portail.

Lorsqu'elle monta se coucher, je fis semblant de dormir. Elle se déshabilla rapidement et, une fois en chemise de nuit, elle sortit la chose de son tablier : c'était une lettre.

J'eus à peine le temps de l'entrevoir du coin de l'œil, mais je suis sûre qu'elle venait de l'étranger.

Grand-mère s'assit au bord du lit et, tirant une épingle de son chignon, elle ouvrit l'enveloppe. Puis elle lut la lettre, retenant

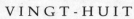

 plusieurs fois sa respiration au cours de sa lecture. Elle la relut encore une fois, comme si
elle voulait s'assurer que ses yeux ne l'avaient point
trompée, avant de la remettre dans l'enveloppe.
Alors elle inspecta la chambre ; lorsqu'elle fut certaine qu'il n'y avait rien d'insolite et que personne ne pouvait
la surprendre, elle souleva le matelas et glissa la lettre en des-
sous.

28

LA VISITE DE L'INSTITUTEUR FUT
SUIVIE PAR CELLE DU VIEUX
CYCLOPE, LE CHEF DE LA POLICE.
Il s'introduisit dans la maison comme un voleur, à la faveur de
la nuit, avec ses hommes, sans le moindre bruit jusqu'à ce qu'ils
se mettent à donner des coups de pied dans la porte du premier
étage. Grand-mère se précipita pour leur ouvrir, mais ils étaient
dans la pièce avant qu'elle n'ait atteint le petit vestibule, et ils
la poussèrent sans ménagement.

Les uns après les autres nous nous réveillâmes et nous
retrouvâmes tous dans la chambre de grand-mère : tante Dina,

tante Hercule, Marko et Mano. Le seul absent était Mitso, mais personne n'y prit garde sur le moment ; nous étions trop préoccupés par ce qui nous arrivait. Le chef de la police, que la présence de tant de gens rendait nerveux, réclama le silence. Il s'était fait accompagner de deux policiers : Vassili, que nous connaissions depuis des années, et Jan, un neveu de Ritzo. Ritzo nous avait dit bien des fois comme il regrettait que Jan soit entré dans la police.

Le Vieux Cyclope nous dévisagea tous un bon moment, puis il tendit la main à tante Dina.

– Toutes mes condoléances pour la mort de votre mari, chère madame, déclara-t-il en claquant des talons à la manière des Allemands.

– Je vous remercie, murmura tante Dina qui retira sa main dès que la politesse le lui permit.

J'eus l'impression que ces condoléances la mirent plus mal à l'aise qu'elles ne lui firent plaisir. Oncle Tasso avait pu être monarchiste, ce n'était pas une raison pour que tante Dina se jette au cou des policiers.

Grand-mère dit toujours que la guerre révèle ce qu'il y a de mieux et de pire chez les gens, et il n'y a pas besoin d'être un génie pour comprendre ce qu'elle entend par là. Peut-être que le chef de la police aurait été un très brave homme en temps normal. Mais la guerre lui fournissait toutes sortes de raisons pour mal se conduire et il ne s'en privait guère.

Maintenant qu'il avait tiré tout le monde du lit, il nous ordonna de descendre au rez-de-chaussée, à l'exception de grand-mère, Paul et moi-même. Vassili fut chargé de suivre les autres et Jan de nous surveiller.

Puis il annonça d'un ton qui ne supportait pas la contradiction :

– J'ai les questions et je sais que vous avez les réponses. Alors, je les veux et vite.

Personne ne dit rien.

– Eh bien, vous avez perdu votre langue ?

Le silence devint encore plus lourd. Le Vieux Cyclope fit craquer ses phalanges avant de s'adresser à moi :

– Toi, dit-il en me montrant du doigt, quand as-tu vu ton père pour la dernière fois ?

– Je ne l'ai pas vu.

Le Vieux Cyclope ne nous quittait pas des yeux, nous dévisageant, grand-mère, Paul et moi, à l'affût du moindre indice que trahiraient nos expressions.

– Et toi, reprit-il en se tournant vers Paul. Quand l'as-tu vu pour la dernière fois ?

– Je ne sais pas, mais c'était sûrement il y a très longtemps parce que je ne me souviens même plus de sa tête, répondit finement Paul auquel je pardonnai son exagération, comme papa l'aurait fait d'ailleurs.

Ce fut le tour de grand-mère.

– Eh bien, madame Andippa, si les enfants n'ont pas vu leur père, peut-être avez-vous de ses nouvelles, vous ?

Le Vieux Cyclope eut brusquement l'air très menaçant.

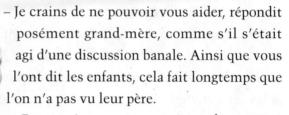

– Je crains de ne pouvoir vous aider, répondit posément grand-mère, comme s'il s'était agi d'une discussion banale. Ainsi que vous l'ont dit les enfants, cela fait longtemps que l'on n'a pas vu leur père.

– Et vous jurez ne pas avoir eu de ses nouvelles non plus ?

– Je le jure.

Le chef de la police se pencha en avant. Un éclair métallique brilla dans sa main et aussitôt grand-mère s'effondra à terre, le front ouvert. Sa blessure se mit immédiatement à saigner. Le sang lui coulait dans les yeux, le long du nez, sur le menton et gouttait sur le sol.

– Grand-mère ! hurlâmes-nous en nous précipitant sur elle pour la protéger des coups.

Je levai les yeux vers Jan.

– Arrête-le, le suppliai-je. S'il te plaît, arrête-le, empêche-le de la toucher !

– Elle l'a bien cherché ! rugit le Cyclope.

C'est alors que Jan nous surprit tous. Une expression de profond dégoût se peignit sur ses traits et, repoussant le Vieux Cyclope, il se pencha sur grand-mère et lui essuya le visage avec son mouchoir, aussi tendrement que s'il se fut agi de sa propre mère.

– Ne vous inquiétez pas, tantine, ne vous inquiétez pas. Cela va s'arranger.

Je pensai alors que Ritzo aurait pu être fier de Jan et qu'en fin de compte il n'avait pas trahi ses origines.

– Merci, mon garçon, dit grand-mère. Dieu te remerciera de ta bonté.

Jan était au bord des larmes.

– Je suis désolé, tantine, murmura-t-il. Je ne savais pas, je n'aurais jamais cru…

– Pauvre Jan, répondit doucement grand-mère. En ces temps agités, un bon policier doit commencer par apprendre à terroriser les enfants et à frapper les vieilles femmes. Ensuite seulement, on lui permettra peut-être de tuer quelqu'un au revolver.

Le Vieux Cyclope ne se tint plus de rage.

– Dos au mur, tous les trois ! hurla-t-il.

Jan aida grand-mère à se relever. Elle était blême, et je suis sûre qu'elle se serait effondrée de nouveau si Jan ne l'avait soutenue. J'approchai une chaise où il put l'asseoir. Paul vint près d'elle et je me retrouvai seule, le dos au mur.

– Les bras en l'air !

Je levai les bras au-dessus de ma tête. Le Vieux Cyclope passa et repassa devant moi puis il s'arrêta et me fixa de son unique œil.

– Encore une fois, où est ton père ?

Il s'ensuivit un nouveau silence, et c'est alors que je le vis tel qu'il était réellement : un petit bonhomme, avec un couvre-chef trop grand pour lui, et je me rappelai ce que grand-mère m'avait dit de la peur. Effectivement, ce n'était pas de lui que j'avais vraiment peur, mais de l'idée d'avoir peur, et je me pris à sourire.

– Alors ? J'attends une réponse !

C'est incroyable ce que le Vieux Cyclope me fit penser à l'instituteur. Peut-être que les gens qui ne peuvent devenir ins-tituteur se retrouvent dans la police...

– Je n'ai pas vu mon père, rétorquai-je. Aucun de nous ne l'a vu. Comme vous l'a dit mon petit frère, il y a tellement long-temps qu'il n'est pas venu qu'on ne sait même plus la tête qu'il a.

Le Vieux Cyclope s'arrêta à ma hauteur et appuya son revolver contre ma poitrine.

– Je vois. Donc tu ne l'as pas vu, et tu n'as pas eu de ses nouvelles non plus. En ce cas, tu ignores qu'on a découvert un homme dans une barque, dans le port d'Alexandrie, et que la police l'a mis en prison.

Il était si près de moi que je sentais son haleine répugnante.

– A propos, le bateau s'appelait *La Petite Coquille de noix*, ajouta-t-il sans me quitter des yeux.

Je me mis à rire franchement : je venais de comprendre ce que l'instituteur était venu faire à la maison. Je ris de tout mon soûl, je ris à en pleurer.

– Tom Pouce était un tout petit garçon, m'exclamai-je. Il n'était pas plus grand que mon pouce, ou plutôt il était aussi grand qu'un homme au milieu de la mer qui fuit en pleine nuit pour échapper à l'affreux crapaud qui veut le mettre en prison.

Une lueur meurtrière brilla dans l'œil du Vieux Cyclope. Je m'attendais à recevoir une balle, mais cela m'était complètement indifférent. Tout ce qui m'importait c'était que papa avait réussi sa traversée. Certes, il s'était fait arrêter à l'arrivée mais il avait pu s'enfuir. Il se trouvait à présent en sécurité dans quelque pays lointain et nous avait écrit pour nous le faire savoir. Qui n'aurait eu envie de rire en comprenant cela ?

Pourtant le Vieux Cyclope ne trouva pas cela drôle du tout. Sa main m'atteignit en pleine figure, envoyant ma tête cogner brutalement contre le mur. Mais j'avais la tête dure et je continuai à rire. Enfin le Cyclope se décida à partir, suivi de Jan.

– Je n'en ai pas encore fini avec toi, me dit-il d'un ton lourd de menaces avant de disparaître.

A peine eut-il franchi la porte que mes jambes se mirent à trembler et se dérobèrent sous moi. Je me retrouvai par terre, trempée de sueur froide, secouée de tremblements, comme en proie à une forte fièvre. Mais cet état ne dura guère. Je ne tardai pas à me relever et je serrai Paul et grand-mère dans mes bras, en confiant à mon petit frère que papa était sain et sauf et qu'il n'y avait plus à s'inquiéter.

Paul hocha la tête ; il était content. Il était content que papa ait réussi à s'enfuir, naturellement, mais la question qu'il me posa d'une voix douce m'anéantit :

– Et maman ? Est-ce qu'elle est en sécurité, elle aussi ?

29

DEUX JOURS PLUS TARD, RITZO VINT PRÉVENIR GRAND-MÈRE QUE NOUS DEVIONS TOUS ÉVACUER LA MAISON AU PLUS TÔT.

En effet, Jan (qui avait démissionné de la police mais devait y rester encore trois mois pour insubordination) lui avait appris qu'« ils » parlaient de mettre le feu à notre maison. Ritzo lui offrit de nous héberger, mais grand-mère lui rétorqua que les nuits étaient assez douces pour que l'on dorme dehors ; nous camperions donc quelques jours dans le verger. Tout le monde trouva cela très amusant, à l'exception de Mitso qui ne put s'empêcher de râler, jusqu'au moment où sa mère lui dit que si cela ne lui plaisait pas il pouvait rester dormir seul à la maison. Ce qui lui cloua le bec.

Après deux nuits passées à la belle étoile, nous réintégrâmes la maison. Tante Hercule dit qu'elle en avait assez et que, somme toute, elle préférait prendre des risques plutôt que de repasser une nuit à la belle étoile. Les partisans comme les monarchistes l'ennuyaient au plus haut point, ainsi d'ailleurs que la politique. Elle aimait beaucoup mes parents pourtant, tout en les trouvant fous et irresponsables. Elle n'avait pas vraiment choisi de ne pas avoir de mari, tandis que nos parents, eux, nous avaient délibérément « abandonnés » et, à ses yeux, c'était un acte injustifiable.

Un soir que je m'étais réfugiée comme d'habitude au premier étage pour être tranquille, j'entendis tante Dina dire qu'elle rentrerait à Athènes une fois les « ennuis » terminés. Elle se sentait bien au village, mais la ville lui manquait. Je crus que tante Hercule allait protester, or elle n'en fit rien. Elle se contenta de dire que dans ce cas elle devrait demander à Savva, le grand monsieur maigre, s'il voulait bien vivre avec elle et ses fils chez grand-mère, au lieu d'aller tous habiter au Pirée. Ainsi le jour où grand-mère aurait besoin de quelqu'un pour s'occuper d'elle, elle serait là.

Grand-mère ne put s'empêcher de rire. Je crois qu'il lui était difficile d'imaginer avoir un jour besoin de quelqu'un pour s'occuper d'elle ! Et encore moins que ce serait tante Hercule

qui certes était bien gentille et intelligente, mais « buvait le café et ne lavait pas la tasse ».

– Je te remercie, ma fille, dit-elle, mais le jour où Savva et toi–même reprendrez la maison, il ne me restera plus que l'intérieur de l'olive et l'extérieur de la noix.

– Oh ! maman ! Comment peux-tu dire une chose pareille ? Savva t'aime vraiment, tu sais.

– Tout le monde aime bien la mère de sa fiancée, ma fille, mais une belle-mère à la maison, c'est très différent, repartit gentiment grand-mère. Toutefois tu peux fort bien t'installer ici avec Savva, si tu le désires.

J'eus l'impression qu'à ce moment elles repensèrent toutes deux au jour où tante Hercule avait quitté la maison pour suivre un mari.

Quelques instants plus tard, j'entendis tante Hercule demander aux garçons de prendre une bouteille et d'aller chercher du vin résiné chez Anna, l'épicière. Paul monta voir si je voulais les accompagner, mais je n'en avais aucune envie et je me replongeai dans mes livres. Puis j'ai dû somnoler quelques instants car je fus brusquement réveillée par des cris, des bruits de portes qu'on ouvrait et fermait, et de gens qui couraient. Une foule s'était assemblée dehors, semblait-il ; une foule bruyante, en colère, houleuse et survoltée, qui approchait de la maison. Je me précipitai à la fenêtre pour voir ce qui se passait, mais il faisait déjà trop sombre ; je décidai de sortir, ce qui me dégourdirait les jambes par la même occasion.

Je dévalai les escaliers, traversai la cour comme une flèche, ouvris la porte et tombai sur oncle Savva, ainsi que nous l'appelions déjà, qui entrait en portant Paul dans ses bras : mon petit frère était blême, inanimé. Comme je me jetai sur Savva pour lui arracher Paul, quelqu'un me plaqua brutalement contre la porte pour les laisser passer. Je me mis alors à crier, à hurler, à supplier qu'on me lâche, et grand-mère apparut enfin.

Elle me conduisit jusqu'à Paul. Ils l'avaient couché sur le lit de tante Hercule et l'avaient enseveli sous un tas de couvertures. Il avait l'air si fragile, si petit et si pâle que je sus qu'il ne se relèverait jamais plus. Approchant mes lèvres, j'embrassai ses yeux clos, sa bouche et ses douces boucles enfantines. Il avait voulu les couper, mais maman lui avait fait promettre d'attendre son retour à la maison.

Agrippée à la main de grand-mère, je l'obligeai à s'asseoir à côté de moi sur le lit de Paul.

– Il va se remettre, n'est-ce pas, grand-mère ?

– Espérons, mon ange, dit-elle en m'embrassant, espérons.

Puis le docteur arriva. Après avoir examiné Paul, il déclara qu'il avait reçu un coup très violent derrière la tête et que tout se déciderait dans les prochaines quarante-huit heures.

– Pouvons-nous le transporter au premier ? s'enquit grand-mère.

– Si vous voulez, mais faites très attention en le déplaçant, et surtout ne le changez plus de place une fois installé là-haut.

– Combien de temps va-t-il rester dans cet état ? demanda tante Dina.

– C'est difficile à dire, soupira le docteur. Il pourrait se réveiller maintenant, cette nuit, demain... il...

Le docteur s'interrompit brusquement, mais je savais qu'il allait dire « jamais », et je lui en aurais voulu s'il l'avait fait.

– Comment est-ce arrivé ? demanda le docteur juste avant de partir.

Mitso, qui venait d'ouvrir la porte de la chambre, fit mine de ressortir en découvrant Paul inanimé sur le lit, mais je l'en empêchai en le rattrapant avant qu'il n'ait franchi le seuil. Le saisissant par les épaules, je le secouai comme un prunier.

– Demandez-le-lui ! m'écriai-je. Demandez-le-lui !

Tante Dina se jeta sur moi comme une tigresse.

– Lâche-le, espèce de folle ! cria-t-elle. Qu'est-ce qui te fait croire qu'il sait quelque chose ?

CHAPITRE VINGT-NEUF

– Il est comme son père ! hurlai-je sans savoir vraiment ce que je disais.

– Tu es complètement folle, renchérit Mitso avec morgue maintenant que sa mère volait à son secours. Tu es complètement folle ! Je n'étais pas avec lui, ajouta-t-il en désignant mon frère immobile sur le lit. J'étais avec...

C'est alors qu'il s'interrompit, mais cela n'avait plus aucune importance. Je savais où il avait été et il savait que je le savais.

– Dis-le ! hurlai-je. Dis-le si tu l'oses ! Dis : « J'ai trahi Paul. Je l'ai vu partir chez Anna avec mes frères et Marko ;  comme Andi n'était pas avec eux, j'ai pensé que c'était l'occasion de lui donner une bonne leçon. Alors j'ai couru prévenir Aristo et il leur a envoyé ses Guerriers. Après avoir un peu malmené les autres, ils ont concentré leurs forces sur Paul. » Allez, Mitso, dis-le, dis : « Je savais ce qu'ils allaient faire et je n'ai pas cherché à les en empêcher ; je voulais qu'ils tuent Paul. » Dis-le !

Mitso était devenu aussi blanc que Paul.

– Tu es folle. Tout le monde sait bien que tu es folle.

– Cela vaut mieux que d'être un mouchard ! m'écriai-je.

Et comme il me giflait, je lui crachai à la figure. Tante Dina m'aurait certainement frappée elle aussi si grand-mère ne l'avait retenue.

– Laisse-la tranquille. Tu ne vois donc pas comme elle souffre ?

Les bras et le visage couverts de bleus, Marko se fraya un chemin à travers la foule qui avait envahi la pièce et se jeta à mon cou. Nous éclatâmes en sanglots. Tout gourmand et voleur qu'il fût, Marko nous aimait énormément, Paul et moi.

– La bande va se charger d'Aristo et de tous ces salauds ; on les aura ! déclara-t-il à travers ses larmes.

– Oh ! mon Dieu !... murmurai-je. Oh ! Marko, pourquoi ne suis-je pas allée avec vous ?

30

LES JOURS PASSAIENT ET PAUL NE SE RÉVEILLAIT TOUJOURS PAS. LE DOCTEUR NOUS DIT QUE CE GENRE DE sommeil s'appelait un coma et qu'il faudrait peut-être transporter Paul à Athènes.

– J'ai fait tout ce qui était en mon pouvoir, reconnut-il tristement, mais je ne suis qu'un pauvre médecin généraliste. A présent, nous avons besoin du secours d'un spécialiste... Vous comprenez ce que je dis, Lella ?

– Docteur, répondit grand-mère, je suis vieille et fatiguée, et j'aurais préféré ne rien comprendre du tout.

– Je sais quelle a été votre vie, dit le médecin en la prenant tendrement par le bras, mais ce n'est pas le moment de s'avouer vaincu. Comment va Andi ? ajouta-t-il en me jetant un regard.

– Pas très bien, docteur. Elle ne dort plus ; je ne sais que faire. Tout ce qu'elle veut, c'est rester auprès de Paul. Elle lui tient la main et lui parle. Elle passe ses journées à lui parler.

Le docteur fouilla dans sa sacoche et en sortit un petit flacon.

– Donnez-lui un de ces comprimés une demi-heure avant son coucher, recommanda-t-il. Ça l'aidera à trouver le sommeil.

Puis il partit et réapparut quelques secondes plus tard. Je les entendis parler à voix basse et prononcer le nom de Cassie avant de disparaître dans l'entrée. Laissant Paul, j'allai écouter derrière la porte. S'il était question de ma mère, je voulais savoir de quoi il retournait.

– C'est un piège, dit le docteur, il ne faut surtout pas qu'elle vienne ; ce serait suicidaire. Tout le monde sait bien que c'est un piège.

Grand-mère répondit quelque

chose que je n'entendis pas, puis ils haussèrent tous deux le ton.

– Je sais qu'ils ont fait cela pour qu'elle vienne, dit grand-mère, mais c'est son fils, docteur, et si elle veut venir, rien ne l'arrêtera.

– Ecoutez, Lella, implora le docteur, dites-lui que pour le moment elle ne pourra rien faire pour lui. Il ne s'apercevra même pas de sa présence. Et les choses peuvent s'améliorer avec le temps. D'ici peu, elle pourra peut-être se déplacer à nouveau librement. Le parti communiste est prêt à prendre le pouvoir et le commandant Markos va bientôt nommer un gouvernement provisoire. Dites-lui d'attendre jusque-là.

– Le commandant Markos a encore beaucoup à faire avant ce jour, déclara grand-mère d'un ton catégorique. Tout peut encore basculer d'un côté ou de l'autre.

– Je ne discuterai pas avec vous, Lella. Vous en savez autant que moi sur la situation mais, quoi que vous décidiez, dites-lui de se tenir à distance, expliquez-lui bien qu'elle ne peut rien pour son fils dans l'état où il est.

– Vous êtes un bon docteur et un brave homme, répondit grand-mère, mais n'oubliez pas qu'elle est mère avant tout.

– Je sais, je sais, précisa le docteur en poussant un profond soupir. Eh bien, espérons que tout ira pour le mieux.

– Merci, docteur, espérons.

Je retournai m'asseoir auprès de Paul. La perspective que maman puisse venir m'enchantait et m'inquiétait à la fois. Je

ne voulais pas qu'elle vienne si c'était dangereux, mais j'avais tellement envie de la
voir. « Peut-être, pensai-je, peut-être pour-
rait-elle descendre au village par une nuit
sans lune... » Ce soir-là, je pris le comprimé que me donna grand-mère, je ne
voulais pas la contrarier. J'avais l'intention
de le garder sous la langue et de le cracher dès qu'elle aurait
quitté la chambre, mais elle ne semblait pas pressée, de sorte
que je finis par l'avaler malgré moi.

Tout en luttant contre l'effet du comprimé, je dormis néanmoins par intermittence et, dans un demi-sommeil, j'entendis
la porte s'ouvrir, quelqu'un entrer dans la chambre, et malgré
l'obscurité je sus que ce ne pouvait être que maman. Elle se
déplaçait sans faire de bruit pour ne pas nous réveiller et,
lorsqu'elle arriva
devant le lit de Paul,
elle s'agenouilla et
enfouit son visage

dans les boucles brunes de son fils. Ses épaules se mirent à tressauter, puis tout son corps. Elle pleurait.

Je sombrai de nouveau dans le sommeil, mais peu de temps apparemment car lorsque je rouvris les yeux, maman était encore là, auprès de Paul, le visage décomposé par la douleur.

– Maman, chuchotai-je.

Elle releva la tête et posa un doigt sur ses lèvres. Je réussis à lui faire un petit signe de la tête avant de me laisser emporter encore une fois par le sommeil.

« Elle viendra, me dis-je confusément. Elle viendra m'embrasser dès qu'elle aura quitté Paul. »

Mais lorsque je sortis de ma torpeur, maman avait disparu. Il y eut des cris, des hurlements, des bruits de pas précipités dans les escaliers, une sorte de bagarre dans la cour, qui se poursuivit sur la route.

Quelques instants plus tard, des coups de feu déchirèrent le silence de la nuit.

Je me dressai brusquement sur mon lit et fis quelques pas vers la fenêtre ; avant que je n'aie pu l'atteindre, le calme était revenu. Je crus avoir rêvé et voulus rejoindre mon lit ; il était tellement loin, et le sol bougeait tellement que je compris que je ne pourrais faire un pas de plus sans m'écrouler. Je m'allongeai donc auprès de Paul et, le serrant dans mes bras, je me laissai submerger par une vague de sommeil si puissante que j'eus

l'impression d'étouffer et que je fus incapable de m'apercevoir
que Paul n'était plus de ce monde.

31

**PAUL FUT ENTERRÉ AUX
CÔTÉS DE GRAND-MÈRE HARA
DANS LE PETIT CIMETIÈRE QUI
SURPLOMBE LA BAIE, CELUI-LÀ**
même où nous avions terrorisé les Guerriers d'Aristo quelques
mois plus tôt.

Toute l'école eut congé pour suivre l'enterrement. Vêtus de
leurs uniformes bleu et blanc, les enfants marchaient la tête
basse, les yeux rouges et gonflés par les larmes. Les villageois
pleurèrent tandis que l'on sortait de l'église le petit cercueil
blanc et que le cortège traversait les ruelles du village, passait
devant la boutique d'Anna, le petit cinéma en plein air, notre
maison, celle de Ritzo, celle de Notta, le verger, puis grimpait
le sentier qui longeait la côte pour arriver enfin au cimetière.

Grand-mère et tante Dina nous tenaient par la main, Marko

et moi. Tante Hara et les fils de tante Dina nous suivaient. Aki lui-même put nous accompagner. Tante Hara avait insisté pour qu'on le transportât dans la charrette de l'épicier, qui avait poussé la gentillesse jusqu'à en graisser les roues.

La cérémonie fut très rapide. Les enfants défilèrent les uns après les autres devant le cercueil ouvert dans lequel ils jetèrent tous une fleur. Paul avait l'air de dormir paisiblement : il avait les joues marquées par les coups de ses agresseurs, ses boucles se soulevaient doucement au gré du vent et sa bouche était légèrement entrouverte en un pâle sourire. Une fraction de seconde, je le revis assoupi dans le jardin au pied du gros eucalyptus.

J'eus envie de pleurer mais la douleur était si aiguë qu'aucune larme ne monta à mes yeux. J'étais comme insensible. C'est exactement l'impression que j'avais eue lorsque je m'étais éveillée avec Paul dans les bras et que l'on m'avait dit qu'il était mort. Je ne pleurai pas non plus lorsqu'on referma le cercueil, me privant à jamais de sa présence, ni lorsqu'on le descendit au fond de la fosse et que Dimitri l'orphelin le recouvrit de terre, ni non plus lorsque les gens me serrèrent la main et me firent leurs condoléances. Ni non plus lorsque Aristo me serra la main à son tour. Je ne pleurai que bien plus tard, une fois à la maison, sans Paul – désormais tout se passerait sans Paul – lorsque grand-mère me dit très gentiment :

– Andi, mon ange, feras-tu l'effort de me croire si je te dis que le temps est le meilleur des remèdes aux maux les plus doulou-reux ?

– Tu veux dire que l'on souffre moins au bout d'un certain temps ? demandai-je.

Je sentais que ma voix tremblait malgré moi.

– Oui, ma colombe, c'est cela.

Elle m'attira contre elle.

– Tu sais, reprit-elle, lorsqu'on s'écorche le genou il se forme une croûte sur la blessure pour lui permettre de se cicatriser. Puis lorsqu'elle a rempli son office, elle tombe ; et s'il sub-siste une cicatrice, la douleur, elle, a disparu.

Je hochai la tête car j'étais inca-pable de parler ; et les larmes, si long-temps contenues, jaillirent et coulèrent le long de mes joues.

– Paul, murmurai-je, Paul, Paul, Paul…

Puis je courus dans ma chambre, arrachai du mur l'Athénien, le cerf-volant d'Aristo, et le réduisis en petits morceaux.

J'ÉTAIS À STOCKHOLM AVEC MON PÈRE DEPUIS PRÈS DE TROIS MOIS LORSQU'IL RÉUSSIT ENFIN À M'AVOUER QUE MAMAN AVAIT été blessée dans l'embuscade qu'on lui avait tendue la nuit où Paul était mort. Ayant néanmoins réussi à échapper au Vieux Cyclope et à sa meute, elle s'était enfuie vers la grotte et s'y serait réfugiée si elle n'avait pas entendu les voix de ses poursuivants non loin derrière elle. Préférant ne pas dévoiler cette cachette, elle avait pris le chemin de la bergerie.

C'est là qu'on la découvrit au petit matin, sur le lit du vieux berger, enfouie sous les couvertures de laine. Elle était morte de ses blessures.

Elle repose à présent aux côtés de Paul, dans la terre chaude aux senteurs de thym du petit cimetière grec, entre mer et montagne, et j'aime à penser que plus jamais rien ne les séparera.

Mon père et moi parlons souvent d'eux, de la Grèce et de notre village ; et lorsque nous ne pouvons plus contenir notre douleur, nous pleurons. Nous pleurons parce que nous savons que si les choses doivent changer un jour, pour l'instant cela va très mal. Papa dit que j'irai mieux lorsque j'aurai repris l'école dans ce nouveau pays et me serai fait des amis de mon âge, au lieu de passer mon temps avec lui et ses amis réfugiés. Mais j'en doute…

POUR FAIRE CONNAISSANCE AVEC BILLI ROSEN, QUI A ÉCRIT CE LIVRE

OÙ ÊTES-VOUS NÉE ?
B. R. A Athènes, en Grèce.

OÙ VIVEZ-VOUS MAINTENANT ?
B. R. Un peu partout, mais principalement à Corfou, à Venise en hiver, en Suisse... Mon chat siamois, Sooki, m'accompagne.

QUAND AVEZ-VOUS COMMENCÉ À ÉCRIRE ?
B. R. J'ai écrit mon premier « roman » à l'âge de quatorze ans.

ÉCRIVEZ-VOUS CHAQUE JOUR ?
B. R. Oui.

ÊTES-VOUS UN « AUTEUR À PLEIN TEMPS » ?
B. R. Je suis un écrivain à temps complet, mais cela n'a rien de facile, croyez-moi !

EST-CE QUE « LA GUERRE DANS LES COLLINES » DÉCOULE D'UNE EXPÉRIENCE PERSONNELLE ?
B. R. Je n'avais pas de sujet défini lorsque je me suis installée devant ma machine à écrire. On tisse une trame et puis les idées viennent. Certains passages de ma vie et de celle d'autres personnes sont venus s'y mêler. Puis l'ensemble s'est mis à prendre forme.

QU'EST-CE QUI VOUS A DÉCIDÉE À ÉCRIRE CE LIVRE ?
B. R. Le concours de la maison d'édition anglaise Faber and Faber
ouvert aux nouveaux auteurs auquel je me suis présentée. C'est grâce
à celui-ci que je me suis décidée à franchir le pas en écrivant
un roman car je n'avais jusqu'alors écrit que des nouvelles pour
la radio. Je ne pensais pas avoir la moindre chance d'être sélectionnée
et encore moins de pouvoir le remporter !
Et pourtant, c'est ce qui est arrivé !

VOUS A-T-IL FALLU BEAUCOUP DE TEMPS POUR L'ÉCRIRE ?
B. R. Huit semaines, jour et nuit.

EST-CE VOTRE PREMIER ROMAN ? EN AVEZ-VOUS ÉCRIT D'AUTRES ?
B. R. Oui ; je n'étais pas très sûre de mon anglais ! Du reste, je ne
voulais pas écrire pour les enfants. Mais Andi ne m'a pas demandé
mon avis ! Le livre s'est écrit de lui-même ! Andi et moi sommes
devenues amies, et j'ai écrit deux autres livres pour faire une trilogie
à son sujet.
J'ai écrit l'histoire d'enfants pris dans une guerre car je crois que
les adultes qui en sont responsables oublient le sort des enfants
victimes des conflits : simples pions sur l'échiquier, ils sont privés
de leur pays, de leur foyer, de ceux qu'ils aiment. Leurs sentiments
sont mutilés ; à leur tour ils deviennent des adultes prêts
à se quereller. Et les querelles deviennent des conflits
qui se transforment en guerres… Toutefois, je fais confiance
à la nouvelle génération, et à celle qui suivra. Ils en auront assez.
Ils diront : la guerre, c'est fini !

QUEL CONSEIL DONNERIEZ-VOUS À UN ÉCRIVAIN DÉBUTANT ?
B. R. Faites autre chose. Mais si réellement l'écriture vous tient
à cœur, ne cherchez pas à gagner les faveurs du public.
Tout le monde cherchera à vous décourager afin de vous convaincre
d'avoir un « vrai » métier. Alors, n'en parlez pas et passez à l'acte !
Vous ne pouvez compter que sur vous-même.

> **"** C'est d'abord un désordre d'idées… et du papier blanc. Le texte est si bouleversant ! Des balbutiements d'émotion griffent des feuilles volantes : crayonner, noircir, saturer, chiffonner, recommencer. Souligner des instants, se situer. Au début, je n'utilise pas de couleur. Un crayon de bois assez gros jette le flot d'idées, page après page. La main est fébrile. C'est un instant de tension, car soit l'image s'obscurcit totalement, soit elle trouve sa lumière et peut exister. Suit alors une phase de dépouillement, toujours au crayon de bois. L'ébauche se précise par superposition, sur un papier calque. L'ombre et la lumière se disposent franchement. La forme est cernée. Je n'utilise plus de gomme. Le calque est ensuite posé sur le texte, à l'endroit précis de l'action, du dialogue, ou de la description.
>
> Ainsi, l'image modifie ses contours au gré des lignes. Après l'absorption en noir du texte, vient l'étape de sa réflexion, par la lumière. C'est la plus subtile, la plus aérienne. L'image construite au crayon de bois disparaît sous la couleur et c'est un immense plaisir. La main avance légèrement, les hâchures sont délicates et régulières. L'onctuosité des crayons de couleur pose une douceur insaisissable sur le calque final. En transparence, le texte ondule autour de ces petits oasis. Aujourd'hui, le livre se referme. Les crayons sont rangés dans leur boîte. Reste le souvenir d'un voyage émouvant qui ne s'effacera pas de la mémoire. Je remercie l'auteur et espère que mon rôle d'accompagnatrice soutient avec suffisamment de légèreté son merveilleux texte. **"**

SYLVAINE PÉROLS NOUS RACONTE COMMENT ELLE A ILLUSTRÉ LA GUERRE DANS LES COLLINES

CONNAISSEZ-VOUS LES AUTRES TITRES DE LA COLLECTION?

LE SECRET DE DOOLEY
de Bruce Brooks,
illustrations de Jean Claverie
Au sud des Etats-Unis, une histoire de magie et de complicité entre un enfant noir et un enfant blanc.

LE TERRIBLE TRIMESTRE DE GUS
de Gene Kemp
illustrations de Quentin Blake
Gus nous réserve bien des surprises, en protégeant son ami Danny, que personne à l'école ne comprend.

LE NEZ DE LA REINE
de Dick King-Smith
illustrations de Serge Bloch
La pièce de monnaie magique que son Oncle Ginger donne à Harmony exaucera-t-elle son vœu le plus cher?

VICTOR VICTORIEUX
de Jan Mark
illustrations de Jame's Prunier
L'amour de l'aviation va faire de Victor et d'Andrew des amis inséparables dans ce livre tonique et drôle.

LE ROI DE LA FORÊT DES BRUMES
Michael Morpurgo
illustrations de François Place
Un récit qui retrace la bouleversante rencontre avec une créature de légende.

KAMO
de Daniel Pennac
illustrations de Jean-Philippe Chabot
Une correspondance insolite nous entraîne dans une palpitante enquête.

KAMO ET MOI
de Daniel Pennac
illustrations de Jean-Philippe Chabot
Kamo est hospitalisé. Mais l'amitié permet de sortir des situations les plus dramatiques.

LA POURPRE DU GUERRIER
de Rosemary Sutcliff
illustrations de Philippe Munch
L'initiation de Drem, jeune guerrier de l'Age de Bronze, nous plonge dans le passé aventureux des hommes.

L'HOMME DES VAGUES
de Hugo Verlomme
illustrations de Franck Stephan
Lors d'un été inoubliable, Kevin découvre l'océan et le body-surfing,.

MA SŒUR EST UNE SORCIÈRE
de Diana Wynne Jones
illustrations de Georges Lemoine
Gwendoline utilise ses pouvoirs surnaturels pour provoquer d'étranges événements. Fou, mais vrai et drôle.

MANITOUWADGE

LA GUERRE DANS LES COLLINES

ISNB 2-07-055103-2
Numéro d'édition : 52769
Dépôt légal : février 1992
Imprimé par Kapp Lahure Jombart, à Évreux